集英社文庫

コンビニ・ララバイ

池　永　陽

目次

第一話　カンを蹴る　7
第二話　向こう側　49
第三話　パントマイム　91
第四話　パンの記憶　137
第五話　あわせ鏡　179
第六話　オヤジ狩りの夜　225
第七話　ベンチに降りた奇跡　271
解説　北上次郎　324

コンビニ・ララバイ

第一話　カンを蹴る

コーラの空き缶がひとつぽつんと立っていた。

四台分しかない駐車場のちょうど真中《まんなか》だ。転がって横になっていれば目立たないが、ぴんと背筋を伸ばした律儀な格好で空き缶はアスファルトの上に立っている。

レジのカウンターのなかから駐車場を見ていた幹郎《みきお》は、ゆっくり通路を抜けて入口に向かった。扉を押して外に出ると冷気が一気に体を包みこんだ。細めた両目の奥に奇妙な存在感を誇示して空き缶が突き刺さってくる。いやな光景だ。空き缶は嫌いだった。

『蹴りたい』

そんな衝動に幹郎はかられた。

力一杯蹴ってみたい。遠くに飛ばしてみたい。凍《い》てた夜の闇に疳高《かんだか》い音を立てて舞わせてみたかったが、そんなことは無理なのはわかっている。

空間がなかった。力一杯蹴りあげれば隣の家に飛びこむだろうし、道路にはいつ車が姿を現すかわかったものではない。それに、駐車スペースの端には磨きこまれたメルセデスの新車が停まっているのだ。当てたりすれば大変なことになるが、実をいえば幹郎はこのメルセデスを目にするたびに、黒色のメタリックのボディに思いきり缶を蹴りこみたい衝動にかられた。

そうすれば何かが変る。解放される。

幹郎は目の前のコーラの缶とメルセデスのボディを暗い目で睨《にら》みつけた。蹴りたかった。足がぴくりと動いた。

「申しわけないっす」

すぐ後ろからくぐもった声がかかった。

メルセデスの持主の八坂《やさか》だ。黒っぽいダブルの背広に無造作になであげたリーゼントの髪、左の眉毛《まゆげ》の上に走る五センチほどの引きつった傷痕《きずあと》が、駐車場の明りに白く光っている。まだ若いが、どこかのヤクザ組織に属しているらしかった。

「――とんでもない。どうせ空いてるんですから遠慮なく使ってください」

職業的な声を出して少し頭を下げた。

「駐車料金受けとってくれねえから、堀《ほり》さん」

いいながら、八坂はちらりと鋭い視線をガラス越しに店のカウンターに走らせた。尖《とが》った両肩にすぐに落胆の色がさす。よほど、

「治《はる》ちゃんは今夜、用事があるとかで早々に帰りましたよ」

といってやろうかと思ったが黙っていた。差し出がましいことをいって妙な因縁《いんねん》でもつけられたらかなわない。

「お出かけですか」

と、おざなりの言葉をかけてやると、

「ええ、それより堀さんに少しお話があります。一度時間を作ってもらえないっすか」

熱っぽい目が幹郎の顔を真直《まっす》ぐ見ていた。

「話って……」

「やばい話とかややこしい話じゃないですから。ちょっと了解を得たいことがあるだけっすから。ほんの少しの時間ですみますから」

視線を外した八坂の両肩が丸くなったような気がした。ほっとするものを覚えた。

「いつでもいいですよ、私は」

「じゃあ明日の夜、店を閉めたころに『万吉』で」

そそくさと大きな車に乗りこんでいった。

赤いテールランプをぼんやり見つめながら「了解してほしいことか」と幹郎は呟《つぶや》く。

半月ほど前、八坂が新しいベンツを買ったときも幹郎は『万吉』に誘われた。あのときも了解してほしいことがあると八坂はいった。

「駐車場を少しの間、貸してほしいっす」

カウンターに並んで座り、しばらくビールを飲んでからぼそっと声をもらした。

「俺のアパート、駐車場ないですから。路上駐車で傷つけられても、レッカーで持ってかれても頭にきますし」

困った頼みだった。店の駐車場にメルセデスの新車が常に停まっていれば、店内に入るのを警戒する客が出てくるかもしれない。真黒《まっくろ》なメルセデス・ベンツのSクラスなど、どう見ても普通の人間には縁のない車種だった。

「いいですよ。ご自由に使ってください」

胸の思いとは裏腹にこんな言葉が飛び出した。客が入らなければそれでもいい。どうせ気をいれてやっている商売ではない。妻の有紀美《ゆきみ》のために開いたような店なのだ。その妻も今はいない。

「恩にきます。早急に駐車場見つけるようにしますから」

仏頂面《ぶっちょうづら》がほんの一瞬ほころび、

「俺、クルマ好きだから――」

はにかんだ声でいった。

確かにクルマ好きなのだろう。しかしそれだけではないはずだ。八坂はパートで働いている治子《はるこ》に、メルセデスに乗り降りする自分の姿を見せたいのでは。ヤクザの見栄《みえ》、そんな思いが湧《わ》いたが、八坂は珍しく表立った見栄を張らない人間だった。

店に来ても札びらを切らず、きちんと端数の金まで払って物を買っていく。分を心得ているスジ者だと思っていたが、どうやらクルマだけは別物らしかった。

幹郎は駐車場に立ててあったコーラの缶をひょいとつまんだ。指先に金属の凍てた感触がいきなり突き刺さった。顔をしかめてちらりと店の中に目をやると、小さな姿が飛びこんできた。あの男の子だ。今夜も来ている。

表のゴミ入れに缶をそっと落としこみ、ゆっくり店に入った。カウンターのなかに立つと目の前にすぐ缶コーラと餡《あん》パンとポテトチップスが置かれた。レジを打ち、代金を受けとってから、

「坊や、元気だったか」

と、愛想のいい声を幹郎は男の子に投げかける。

子供は曖昧《あいまい》に首を振る。一言も応えない。半月ほど前から週に何度かこの店に姿を現すようになったが、何を喋《しゃべ》りかけても首を振るだけで無言だった。

見たところは小学校の一、二年ぐらいで、フードつきのチェックの上衣に色のあせたジーンズをはいていた。顔の色が女の子のように白く、体つきも華奢《きゃしゃ》だった。

喧太《けんた》に似ている。この子供を見るたびに幹郎はそう思う。一人息子だった喧太が死んでから一年以上が過ぎていた。

「気をつけて帰れよ」

ポリ袋を持って、ちょこちょことリズミカルに歩く男の子の後ろ姿に声をかけ、ふうっと長い溜息《ためいき》をもらして天井を見あげた。蛍光灯の白い光が四十歳をこえた目の奥にひどく痛かった。

本通りから外れた住宅街のため、周囲はかなり静かだったが、十分も歩けば商店や飲食店が立ち並ぶ繁華街につきあたる。青梅街道沿いにある、小さな町の小さなコンビニエンス・ストアだった。ちっぽけな店は両隣の家から押されるように遠慮ぎみに立っていた。

夫婦でできる仕事がしたかった。

一人息子を失って、精神的に参っていた妻の有紀美を家に一人で放っておくわけにはいかなかった。できれば一日中そばについていてやりたかった。勤めていた食品卸《おろし》の会社が不況のために希望退職を募っていたこともあり、幹郎は思いきって新しい仕事に賭けてみることにした。

本当は小さなコーヒー専門店でもひっそりとやりたかったのだが、

「賑やかだけど乾いているから……」

こんなことをいってコンビニエンス・ストアに固執したのは妻の有紀美だった。

もともと生家が戦前からこの地で酒屋をやっていたという好条件もあって、比較的スムーズにことは運んだ。恵まれていた。土地を担保に銀行もすんなり資金を回してくれたし、古い家屋を壊して新しい建物を造るにもそれほど時間はかからなかった。

どうせやるなら自分流の個性的な店を作ろうと、大手のチェーン店には入らなかった。両親はもういないが、酒屋を開いていたときの伝手《つて》を頼って仕入れから接客まで様々な相談にものってもらい、酒類を販売する許可も取った。名前は幹郎と有紀美からとって『ミユキマート』とつけた。

開店したのは去年の三月だった。それから二カ月後、自転車に乗っていた有紀美は事故にあい、交差点で左折した大型車の後輪にまきこまれて呆気《あっけ》なくこの世を去った。

『……しあわせでした』

こんな走り書きをしたメモ用紙が鏡台の引出しのなかからあとで見つかった。意味のない単なる走り書きかもしれないが、幹郎にはこれが遺書に思えてならない。それにしても文面が奇妙だった。妻がしあわせであったはずがなかった。

「ほら、あそこのじじい怪しいわよ」

弁当の棚のところでうろうろしている、ホームレスふうの老人を顎《あご》でさして教えてくれたのは近所のバーに勤めている克子《かつこ》だ。

「いいんですよ」

と幹郎は小声で克子にいう。

「金はなくても腹はへりますから。どうせ売れ残って廃棄《バイヘン》するなら、タダでも持っていってもらったほうが人のためになる」

バイヘンとは売価変更、つまりゼロ円にすることで廃棄処分と同義語だった。賞味期限の切れた弁当《べーハン》ものは店をしまうときにゴミとして出すが、そのときにはすでにホームレスたちが集まってきている。

「人がいいんだから店長は。そんなことじゃあ店、つぶれるわよ」

きれいに化粧した出勤前の顔だが、目尻には隠しきれない深い皺《しわ》が躍っていた。喋りかけてくる客はほとんどいないけれど、例外的なのは克子たち水商売の人間やヤンキーの兄ちゃんたちだ。

「ねえ」

と克子が目尻を下げて肩をすくめた。

「あっちのほう、どうしてるの」

いっていることが最初わからなかった。しばらくしてからようやく見当がつき、

「まあ、ぼちぼち」

曖昧な言葉で質問をかわした。

「店のほうに遊びに来てよ。通ってくれたら、あっちのほう考えてもいいからさ」

正直いって、有紀美が死んでから女性に対する欲望はまるでなくなった。そんなものに気が回るほど心の余裕がなかった。体のほうも使いものになるのかどうかわからない。

「不景気ですからねえ、なかなか」

「あら、不景気だから誘ってるのよう」

克子は弁当とスナック菓子を買って店を出ていった。いれかわりに、うろうろしていたホームレスふうの老人が近づいてきた。焼きそば弁当を手にしている。

「あの、これ」

遠慮がちにカウンターに置き、手にしっかり握りしめていた百円玉と十円玉を差し出した。

弁当のなかでは一番安い二百三十円の商品だ。

「ありがとうございます」

幹郎はぺこりと頭を下げた。万引きしなかった。訳もなく嬉しさがこみあげた。老人は定価分だけを払って消費税のことは頭にないようだったが、何もいわずにレジを打った。

「駄目ですよ。ちゃんと消費税もらわなきゃ」

老人が店を出ると同時に治子が近よってきて耳許《みみもと》でささやいた。今年三十歳になるはずだが治子は年齢よりうんと若く見える。

「いいじゃないか売れたんだし。ほっておいても確実にバイヘンする商品は出てくるんだから……それにあのじいさん、ゴミ出しするときに集まってくるホームレスからは仲間はずれにされてるようだし。あれでホームレスにも縄張りやら序列やらあって、新規に仲間入りするのは容易じゃないらしいから。たまのことだから大目にみてやろうじゃないか」

幹郎はホームレスに対して近頃優しい気持を抱きはじめていた。決して憐《あわ》れみではない。親近感だ。

「従業員の私がとやかくいうことじゃないですけど、このままだとこの店、銀行に取られちゃいますよ。そんなことになったら私……有紀美さんに顔向けできなくなります」

真剣にいった。目が潤んでいるように見えた。幹郎は視線を慌《あわ》てて床に落とした。

夜の十時に店を閉め、約束通り歩いて十分ほどの『万吉』に行くと八坂はすでにカウンターの前に座りビールを飲んでいた。幹郎もビールと豚肉の串焼を頼む。

「申しわけないっす。こっちの都合で勝手に呼び出したりして」

八坂はゆっくりと頭を下げた。

しばらくあたりさわりのない世間話をしてから幹郎は軽く咳ばらいをして、

「それで話というのは――」

単刀直入に切り出した。

八坂の仏頂面がさらに暗くなった。切羽《せっぱ》つまったような小さな声で本題に入りだした。

「堀さんのところで働いている治子さんのことです」

「………」

八坂はちょっと唇を舌で湿した。

「自分はあの人が好きです。惚れてます。どうやら本気のようです。恥ずかしいですけどこんな気持は初めてです」

カウンターに視線を落として一気にいった。これまで気がつかなかったけれど横顔がいやに端整だった。長い睫《まつげ》がかすかに震えていた。それだけに眉毛の上の傷痕がいっそう不気味に見えた。つるりとしていた。

「……くどいても、いいでしょうか」

不思議な言葉を口にした。

幹郎はとまどった。そんなことをなぜ自分に相談するのか。惚れているのなら勝手にくどけばいい。他人に了解を得ることなどは無用のはずだ。

ただ、店を手伝ってもらうことにした当初から、治子が自分に関心があることを幹郎は気づいていた。日頃見せる些細なそぶりの奥に、あるかないかの媚をふっと感じることがあった。ファザコンなのかもしれないと考えてもみたが、八坂はそんなあやうい雰囲気を敏感に察していたのかもしれない。

「治ちゃんは私の娘でも親類筋の預かりものでもありません。私にそんなことを訊《き》くのは見当違いの気がしますが」

あたりさわりのない返事をした。

「よくわかってます……けど俺はこんな稼業だし、あの人は素人だし、やっぱり誰かに了解を得ないと行動にうつせないですよ。まるっきり別世界の人間ですから。だから雇い主の堀さんにうんといってもらえれば、ずいぶん気持が楽になるっすよ。安心しますよ。子供みたいで恥ずかしいっすけど」

なるほど子供じみた相談事だ。が、八坂の言葉にはある種の律儀さがあることも確かだ。ずるさなのかもしれなかったけれど。

「――八坂さんも治ちゃんも立派な大人です。私がとやかく口を出す筋合なんか何もない。好きにしたらいいと思いますよ」

正直いって、他人のあれこれを考える余裕は今の幹郎にはなかった。煩わしいだけだ。好きにやってほしい。幹郎の本音だった。それに、しっかり者の治子が八坂の思いを受けいれるとは考えられなかった。

「しかし、どんな結果になっても、治ちゃんの気持を優先させてやってくださいよ。暴力沙汰などはおこさないようお願いしますよ」

「よくわかっています」

八坂は素直に頭を下げた。

「ところで」

と幹郎は幾分開き直ったような声を出した。

「八坂さんは、もし私が治ちゃんのことは許さないといったら素直に諦めるつもりだったんですか」

意地の悪い質問をしてみた。

それまでカウンターの正面を向いていた八坂が、ゆっくりと体を回して幹郎を見た。熱っぽい目だ。体がひとまわり膨れあがったような気がした。もう睫は震えていない。

「はいっ」

睨みつけるようにいった。

背筋がすっと寒くなった。ふうっと吐息を漏らすと同時に、八坂も大きく息を吐いた。幹郎の鼻先に酒と豚肉のにおいの混じった熱い息がかかった。嫌なにおいだった。

視線を落とした幹郎の目に膝に置いた八坂の手が映った。ぴんと伸ばした左手の小指の第一関節から先がなかった。先端の肉が引きつれて、それでいてやにつるんとしていた。串に刺した豚肉でもつまんで抜いたのか、指は脂《あぶら》にまみれていた。つるんとした短い小指の先がてらてらと光っていた。

人を殺したことがある手かもしれない。唐突にそんな思いが湧いた。息のにおいがまだ鼻にあった。鳥肌が立った。

幹郎の視線に気がついたのか、八坂は広げていた両手を拳に握り、そっと体をカウンターの正面に向ける。鳥肌がふいにひいた。

「八坂さん」

とかすれた声を出した。

「命のやりとりをしたことがありますか」

真面目な声でいった。

「ありますよ」

八坂はあっさり肯定した。

「どんな気持になりますか」

八坂は膝の上で握っていた手をカウンターの上に置き、ぴんと伸ばした。じっと両手を見ながら唸《うな》るような声をあげた。

「怖いですよ。とてつもなく怖い。全身に鳥肌が立って、きまって糞がしたくなるっすよ。嘘じゃなくて金玉も縮みあがって下腹のなかにめりこんでしまいます。全身が氷づけのように凍えて……頭の一点だけががんがんに熱く騒ぐんです」

「覚悟をきめればどうでしょうか」

意気込んで幹郎がいうと、

「覚悟なんて……そんなに簡単にきめられないっすよ。俺が度胸なしのせいかもしれないけど、覚悟をきめるなんて並の人間にはとても無理ですよ——しかしなんでそんなことを」

訝《いぶか》しげな表情で上目づかいに幹郎を見た。

「申しわけないですが、私の話をちょっと聞いてもらえますか」

人を殺せる人間なら信用できる。こんな理不尽さと紙一重の奇妙な論理が幹郎の胸に強く湧いていた。聞いてほしかった。

八坂は小さくこくっとうなずき、両手を膝に戻した。

「カンケリを知ってますか、八坂さんは」

ふいに幹郎はいった。

「カンケリ、ですか」

驚いたように口に出す八坂に、幹郎は低い声でぽつりぽつりと語りだした。

幹郎と有紀美の間に生れた喧太は、結婚して十年目にようやくできた子供だった。すっかり諦めていたところへ、ひょいと奇跡のようにして授かった一人息子だった。二人は喧太と名づけた子供に夢中になった。

夜泣きのために寝ているところを度々《たびたび》起こされたりしたが、幹郎はそれほど苦にはならなかった。有紀美も育児ノイローゼなどには縁のない様子で、過酷な子育てを楽しむようにこなしていた。むろん、幹郎自身も手伝えることは何でもやった。

事故があったのは喧太が六歳のとき、幼稚園の年長《ねんちょう》のときだった。

かなり人みしりをする喧太は体も小さくて、幼稚園では苛《いじ》められることもけっこうあったらしい。友達も少なく、ファミコンなどの一人遊びをするのが好きで外ではほとんど遊ばなかった。そんな喧太に幹郎は声をかけた。

「喧太、カンケリって知ってるか」

「何それ、ぼく知らないよ」

きょとんとした顔つきの喧太に、幹郎は子供のころに一生懸命やったカンケリ遊びを説明してやる。幹郎が小学生のころ、カンケリは子供の遊びの主流で、空き缶を持ってくるのは酒屋の一人息子だった幹郎の役目だった。幹郎はカンケリが好きだった。

簡単にいえば缶を蹴って隠れんぼをする遊びなのだが、言葉での説明に喧太は首を傾《かし》げるばかりで要領を得なかった。じゃあ実際にやってみよう、と幹郎は躊躇する喧太を外に連れ出して缶の前に立たせた。

意外なことに喧太はカンケリに夢中になった。ちょこちょこと走ってきて、ぽんと缶を蹴り、ちょこちょこと走って逃げていく。そんな仕草がとてもかわいかった。道路脇の歩道の部分でやっているため、思いきり蹴ることなどは無理だったが、それでも喧太は夢中になった。妻も加わり、三人でカンケリ遊びをやった。

日曜などは少し遠出をして児童公園まで出かけ、思いきり缶を蹴って遊んだが運動神経がよくないせいか、喧太の蹴る缶は力をこめてもそれほど飛ばなかった。

「ぼく、缶がうまく蹴られるようになったら幼稚園で、はやらせるんだ」

一生懸命蹴った。

蹴りそこねて転ぶこともあったがめげなかった。思った以上に高く遠く飛ぶと、喧太は顔をくしゃくしゃにして喜んだ。得意満面の表情で幹郎と有紀美を見た。ひょっとしたら、苛められっ子の喧太は幼稚園でのヒーローを夢見ていたのかもしれない。

喧太が車にひき逃げされたのはそれからすぐだった。九月になったばかりの早朝、五時頃のことだ。家の前の路上で喧太は冷たくなって見つかった。車はかなりのスピードだったらしく即死に近い状態だった。

子供の喧太が、なぜそんなに早く起きて路上に出ていたのかは警察にも幹郎にもわからなかったが、その時間に家の前の路上ではねられたことは確かだった。

四十九日がすんだあと、

「喧太は車の通らない早朝を選んで、カンケリの練習をやってたのよ」

妻がぽつんといった。

「そうに違いないわ」

恐い目で妻の有紀美は幹郎を睨みつけた。あなたがあんな遊びを教えなかったら。その目は確かにそう訴えていた。幹郎は有紀美の目を受けとめることができず、そっと視線を外した。二人の間に深い溝ができた。

ひき逃げの犯人は結局つかまらなかったが一人だけ目撃者がいた。実際にはねたところを見たわけではなかったが、少年野球の早朝練習に行く途中の小学生がその時間帯、猛スピードで走り去っていく車の姿を目撃していた。子供のことなので車種もナンバーもわからなかったが、三ツ矢サイダーと同じマークの黒っぽい車だと子供はいった。

幹郎はその証言を聞いた日から、ベンツと空き缶に嫌悪感を覚えるようになった。

「幹郎さん、ぼっとしないで」

冷蔵庫《リーフイン》のなかの缶類を整理していた治子が大きな声をあげた。

宙に漂わせていた目を正面にやると客が数人並んでいる。幹郎は慌ててレジのキーに指を走らせた。

客が一段落つくと、幹郎はまた昨夜の八坂との会話を反芻《はんすう》する。

「その点線の部分が気になるんでしょ」

と八坂はいった。

鏡台の引出しのなかにあった例のメモのことだ。幹郎は箸の先をビールにつけて、カウンターの上に『……しあわせでした』とメモに記されてあった通り書いたのだ。

「しあわせでした、というのは偽りで、この点線の部分に恨みつらみが押しこめられてるんじゃないかと、堀さんは思ってるんじゃないっすか。それが本音だろうって」

その通りだった。有紀美がしあわせであったはずがなかった。子供の事故以前にも幹郎は何度か浮気がばれて、そのたびに壮絶な喧嘩をしているし、会社に勤めているころは仕事第一で家庭を顧みることなどほとんどなかった。子供が生れてようやくその溝が埋まりかけた直後の喧太の死だった。

なまじ、しあわせでしたという文面などないほうがよかったと幹郎は思う。白黒をはっきりさせてもらったほうが負い目は残るが、心の切りかえも容易な気がした。奥歯にものがはさまったような……これでは始終頭のなかに中途半端に残ってしまって楽になることなどできない。幹郎はそこに妻の悪意さえ感じてしまう。あなたは一生苦しみなさい……メモはその目的のために残されたような気がしてならない。

「点線は単なる奥さんの気まぐれだと思ったほうがいいですよ。そうでないと神経がもたなくなります。女というのはどうにも一筋縄でいくようなやわなもんじゃないっすから」

といって八坂は眉の上の傷を指さし、

「仲間うちでは同業者に匕首《ヤッパ》で斬られたことになってますけど、本当は一緒に暮していた女に浮気がばれて、いきなり包丁で斬りつけられたんです」

「…………」

「顔中血だらけです。そうしたらそいつ、ごめんねごめんね、かわいそうかわいそうなどと泣きながら一晩中看病してくれました。次の日一人で病院へ行ったんですがね、帰ってみたらアパートのなかはカラッポ。家財道具もわずかな預金もすべて」

二人は黙りこんで酒を飲んだ。

「だから昨日、空き缶を前にして俺のクルマを睨みつけてたんですね。申しわけないです。なるべく早く駐車場見つけるようにしますから」

帰りがけ八坂はこういって頬を歪ませ、

「事故なのか自殺なのか、奥さんのことは自分なんかにはわからないっすけど、ひとつだけいえることは、すんだことは無理にでも忘れるのがいちばんいいということです。薄情なようだけど、もう少し自分勝手に生きたほうがいいと思いますよ……それから、カンケリは俺たちの子供のころはまだやってました。面白かったっすよ」

ぺこりと頭を下げて背中を向けた。


店が混んできた。時計を見ると六時半を過ぎている。コンビニのピークは朝の出勤前と昼食時、それにこの時間帯の五時から八時までだ。

学生たちや仕事帰りの勤め人、いくら幹郎が身をいれていなくてもこの時間帯はけっこう混む。不思議なことだが、混んではいるけれど店内はそれほど騒がしくない。沈んだ喧噪。客は黙々と買物をし、雑誌を読み、そして黙々と商品をカウンターに並べるだけだ。

「賑やかだけど乾いているから……」

有紀美のいった通りだった。気楽といえば気楽だがほんの少し淋しい気もする。

八坂が店に顔を出したのは、そろそろ治子が帰る九時半ちょっと前だった。

かごをひょいとつかみ、ろくに選びもしないで商品を無造作に放りこむ。弁当と酒のつまみになる菓子類とビールが大半だった。

カウンターの上にかごをそっと置いた。治子が商品を手に取ってレジを打っていく。何か言葉をかけるかと注意していたが八坂は終始無言でうつむいていた。ただ、治子が釣りを渡そうと八坂の顔をちらりと眺めたとき、ぴたりと目を合わせてきた。一瞬の間だったがすべてを放射している目だった。

真剣勝負をしている、こいつ。

目をそらしたのは治子のほうだ。ぺこりと頭を下げて八坂は無言で店を出ていった。一度も振り返ろうとはしない大きな背中を見ながら、幹郎は何か物足りなさを覚えていた。八坂のことではない。何だろうと考えてみてすぐにあの子供の顔が浮びあがった。喧太に似た小学生の男の子だ。名前も、どこに住んでいるかも知らない奇妙な男の子だった。気になって仕方がなかったが閉店まで時間はあと三十分だった。ふっと幹郎は大きな溜息をついた。


「ねえ幹郎さん、エフエフやりましょうよ」

と治子がはしゃいだ声を出した。

「エフエフったたって中華まんはすでに置いてあるし、他に何をあつかうんだ」

「特製おでん。これだけ寒いんだもの、かなり売れると思うわ。けっこう置いてある店多いんだから。私が腕によりをかけてとびっきりおいしいおでん作るから」

「エフエフって何ですか」

倉庫《バックルーム》から着がえをして出てきたアルバイトの友子《ともこ》が訝しげな顔で治子を見た。

「ファーストフードの略よ。おでんとか中華まんとか、から揚げとかアメリカンドッグのことをいうのよ」

「はあ」と納得したような顔をするが、すぐに興味のなさそうな表情をして友子はカウンターのなかに入った。

都内の私大に通う友子は、夕方の忙しい時間に来てもらっているアルバイトだった。髪も染めていない真面目一方といった雰囲気で、客がいないときにはカウンターの隅で文庫本を広げて読みふけっている。

「読書はやめさせてください、不謹慎です」

と治子はいつもいうが、幹郎はそのたびに生返事をしているだけで注意はしていない。

「おでんか、考えておくよ」

幹郎は治子の顔から目をそらして答える。考えておくということは、やらないということと一緒だ。そんなことは治子も充分承知している。頬がすぐにぷっと膨れあがる。幹郎は慌てて友子のほうを向く。文庫本を広げていた。

「何の本、読んでるんだい」

「ジッドの『贋金《にせがね》つくり』です」

「ほおっ」

といったとたん、治子がきれた。

「莫迦《ばか》じゃないの。まったく」

肩を怒らせてバックルームに向かった。

治子はミユキマートの開店当初から働いている主戦力だった。それまで何軒ものコンビニに勤めていたこともあり、業界の事情には幹郎よりはるかに精通している。

店の近くのアパートに一人住まいをしていて、妻の有紀美の知りあいだった。さっぱりした男のような気性と、象牙《ぞうげ》のようにしっとりと沈んだ肌がよく目立った。

八坂がやってきたのは今日も九時半少し前、いつものように無造作に商品をかごの中にいれてレジカウンターに持ってくる。やはり何もいわない。一瞬、燃えるような目で治子を凝視してすっと背中を向けた。「くどいても、いいでしょうか」と八坂が幹郎にいってから一週間が過ぎていたが、それ以上の行動はない。

帰りぎわ、八坂の顔をよく見てみると額にうっすらと汗をかいていた。

『やはり、こいつは真剣勝負をしている』

そう思った。だが治子のほうは――。

「八坂さん、治ちゃんに気があるようだな」

隣の治子に何気なく訊いてやると、

「あら、そうですか。でも私はヤクザが大嫌い。知ってるでしょ、別れた亭主のこと。もうあの手の男はこりごりです」

そうだった。三年前に離婚を経験している治子は亭主に泣かされ通しだったと、いつか妻の有紀美がいっていた。

仕事は車のディーラー関係で、遊興費とギャンブルでかなりの額の借金をしていたとも聞いた。おまけに客である人妻との浮気が発覚して会社はくび、それからしばらくは治子が亭主を養っていたはずだ。

「借金取りは押しかけるし、亭主は酒びたりで暴力ふるうし、離婚はしてくれないし……それで私、ある夜あいつを殺そうと決心したんです。そうすれば楽になれるって」

普通の声で治子は恐ろしいことをいった。

「真夜中、酔っぱらって寝ているあいつの枕許《まくらもと》に、台所から出刃包丁持ってきて正座しました。だらしない寝姿見ながら、このまま包丁を胸なり咽《のど》なりに突き立てれば確実に亭主は死ぬ、人間って実に簡単に殺せるんだって妙に感動したのを覚えてますよ。何だか自分が神様になったようで嬉しくて、一時間ぐらい一人笑いしながら枕許に座ってたんですけど。ふいに、簡単に殺せるけど、殺すより殺されるほうが楽なんじゃないかって思えてきて。それで亭主に殺してもらおうと、必死で揺り起こしたんです」

治子は言葉を切って微笑《ほほえ》んだ。

「離婚が成立したの、そのすぐあとですよ。ほっとしました……もっとも、男はもうこりごりだけど子供は一人ぐらいほしいですけどね……幹郎さんのほうはどうなんですか。まだ奥さんのこと忘れられませんか」

妻の顔が浮んだ。有紀美も真夜中、枕許に座ったことがあったのだろうか。あったかもしれない。メモの言葉がよぎった。

『……しあわせでした』

悪意だと思った。

治子の考えている意味とは違っていたが、有紀美のことを忘れられないのは確かだった。

「いろんなことがあったのはわかりますが、そろそろ仕事に身をいれたほうがいいんじゃないですか。幹郎さん見てると何とも歯がゆくなって心配になります——私、幹郎さんのファンだから」

治子はそういってから慌てて、

「近頃、万引き多いですね」

話題を変えて帰り仕度をはじめた。

治子のいう通り万引きは多かった。ある程度は仕方がなかったけれど、それにしても多い。雑貨類や菓子はもちろん、最近は弁当の類までなくなっている。あのホームレスの老人、週に何度か店に顔を覗かせているが、商品を買ったのは先日一度だけ……。

治子が店を出てから少しして、小さな影が入口に姿を現した。

あの男の子だ。

ちょこちょことショーケースの間を歩き回り、いつものように餡《あん》パンと缶コーラとポテトチップスを手にしてカウンターの上にそっと置いた。華奢な手だった。

慌ててレジに指を走らせた。心臓が音を立てて躍った。こいつはひょっとしたら喧太なのでは……そんな突拍子もない考えがふいに湧いた。そんなことがあるはずはなかったが、そうに違いないとも思った。死んでしまった喧太が――。

品物を袋にいれながら恐る恐る口を開いた。

「坊や……カンケリを知ってるか」

子供が真直ぐ幹郎を見上げた。綺麗な目だった。有紀美に似ていた。わずかにこくんとうなずいた。かすれたような声が聞こえた。

「知ってるよ」

初めて喋った。ポリ袋をつかんでちょこちょこと入口に向かった。喧太であるはずがなかったが、やはり喧太のような気がした。幹郎は誰もいなくなった店のなかで声を出さずに泣いた。とてつもなく孤独な涙だった。

八坂が治子に声をかけたのはそれから三日あとだった。いつものように品物の入ったかごをカウンターに置いて、燃えるような目を治子にぶつけてから、

「一度外で逢《あ》ってくれませんか」

視線を下に落として低い声でいった。

治子が睨みつけるように八坂を見た。

「……ヤクザ、やめなさい。話はそれからでしょ」

凛《りん》とした声だった。両目が光っていた。

八坂は無言だった。うつむいたまま左手を伸ばして品物をつめたポリ袋をつかんだ。ゆっくり背中を向けた。

「それから」

と治子が叫んだ。

「あの、外の連中何とかならない」

大きな背中に向かって顎をしゃくった。腰に両手をあてていた。すぐに「はいっ」という返事が聞こえた。八坂は外に向かって何もなかったように歩き出した。

七時頃から閉店近くまで、店の表の駐車場にはガラの悪い若者たちが集まってきて座りこむことがよくあった。完全に営業妨害だったが若者たちはそんなことには頓着せず、だらしない格好でアスファルトに尻をおろし、雑談をしながらタバコを吸ったり酒を飲んだりしてぐずぐずと時間をつぶした。

外に出た八坂が座りこんでいる若者たちに何か声をかけた。若者の数は七人ほどだ。数人がしぶしぶといった様子で立ちあがったが、動かぬものも何人かはいた。

幹郎と治子はカウンターの端に体をよせ、身を乗り出すように外の様子をガラス越しに凝視していた。

八坂が動かぬ若者にまた何かをいった。

二人が立ちあがった。黙ってその場を離れるかと思ったら、ゆっくりと八坂に近づいていく。二人とも体格がよかった。

隣の治子がぴたりと体を密着させてきた。さらに身を乗り出した。治子がごくりと唾を飲みこむのがわかった。幹郎もつられて唾を飲みこんだ。咽が痛かった。

一人の若者がいきなり拳を振りあげた。が、八坂のほうが動きが速かった。顔面へのパンチをひょいと首を振ってよけた瞬間、右拳が相手の腹部をとらえていた。若者はそのまま崩れ落ちた。それで終りだった。もう一人の若者は硬直したように動かなかった。

体を密着させた隣の治子の様子をそっとうかがうと鼻孔が開いていた。顔にうっすらと脂を浮かせ、口をわずかに開けていた。

治子は今、欲情している。

幹郎はそう感じた。濡れていると思った。

そして幹郎も欲情している自分に気がついた。下腹部が熱かった。こんな気持になったのは妻の有紀美が死んでから初めてだ。治子の顔をまともに覗いた。

「腐ってもヤクザね」

溜息のように治子がいった。息がにおった。治子の性器のにおいをかいだような気がした。いい終えた治子が「あらっ」と叫んだ。

幹郎に体を密着させていた状況にようやく気づいたのだ。さっと体を離した。

慌てて外に目をやると、八坂の体が駐車場を抜けて視界から消えかかっていた。そういえば八坂は、喧嘩の最中にもポリ袋を左手から離さなかった。治子からもらった大切な宝物のように。

「ゼニ、ユビ、ケジメ」

こんな言葉がふいに蘇った。

万吉で八坂と飲んだとき、話題が世間話をこえて組織からの脱会におよび、そのときに八坂が漏らした言葉だ。

「小指《エンコ》一本飛ばしても組は抜けられませんよ。ヤキもいれられますし、それなりのゼニもつまなければ」

それでも八坂はヤクザをやめるのでは。そんな気がした。そうなったら治子は自分の言葉にどう責任をとるのか。

「私、男の人の本物の喧嘩見たの初めて。すごかったですね」

興奮を隠しぎみにかすれ声でいう治子の鼻孔はまだ開いていたが、幹郎も下腹部の欲情を抑えかねていた。まだこんな荒々しい感情が残っていたのだ。治子がまたごくりと唾を飲みこんだ。

そのときカウンターの上に品物が置かれているのに気づいた。餡パンに缶コーラにポテトチップス、あの男の子だ。喧太に似た。見られていた。

「ありがとうございます」

すぐに治子がほっとしたような顔で動いた。

幹郎の昂《たかぶ》りがさっと引いた。かわりにとてつもない恥ずかしさが湧いてきた。男の子の顔をまともに見ることができなかった。

八坂が店に姿を見せなくなった。駐車場で喧嘩をした翌日からだ。どこに停めてあるのか黒のメルセデスも姿はなく、店の駐車場は四台分がいつもがらっと空いている。

何の変哲もない毎日のくり返しだった。幹郎は相変らず、もう少し店に気をいれろと治子からハッパをかけられつづけている。どういう加減か、あの喧嘩の夜を境に例の喧太に似た男の子も店に姿を見せなくなった。それが幹郎には淋しかった。

アルバイトの友子がいつものようにカウンターの隅で文庫本を読んでいた。夕方の五時頃、そろそろ店が混みはじめる時間帯だ。

「熱心だな友子君は。そんなに本を読んで一体学校を出たら何になるつもりなんだ」

何気なく幹郎が訊いてみると、

「本は関係ありませんが、小学校の教師になりたいと思っています。そのために大学も教育学部を選んだんです。うちは父も母も教師をやっていますから」

淡々と語るところは教師向きかもしれない。

「小学校の先生か。子供が好きなのかな」

「子供が好きというより、教えることが好きなんです。生きがいを感じますから」

ふうんと腕を組み、バックルームで一服でもしようかとカウンターから出かかったところへ、バー勤めの克子がドアを開けて入ってきた。今日はいつもより一時間ほど早い。

しばらくしてカウンターの上に置かれた商品を見て幹郎は驚いた。二つのかごに品物がぎっしりだ。スナック類から甘いものまで堆《うずたか》くつまれた菓子類、サンドイッチやドッグ類、それに十個ほどの弁当、ワインとビールまで入っている。

「どうしたんですか」

「一緒に働いている女の子で今日誕生日の子がいるのよ。それで店が終ったらみんなでパーティーやろうと思って。店までいちばん近い私が買い出し役なの。やんなっちゃう」

それでも嬉しそうに克子は目を細めたが、財布を出して代金を払うときになって小さく「あっ」と叫んだ。財布のなかには千円札が一枚納まっているだけだった。

「銀行でおろしてこなきゃいけなかったんだ。すっかり忘れてた」

情けなさそうに上目づかいで幹郎を見た。

「いいですよ。今度来るときに払っていただければ。知らない人じゃないんですから」

自然にこんな言葉が口から出た。このとき幹郎の脳裏には以前妻の有紀美がコンビニを称していった言葉が躍っていた。

「賑やかだけど乾いているから……」

無意識のうちに反発していた。

「ありがとね。だから店長好き。明日か明後日《あさって》、きちんと払いにくるから」

克子はそれから幹郎を手招きして、

「お店のほうに必ず来て。あっちのほうでお礼はするから。名器なんだから私」

友子をはばかってか耳許でささやいた。幹郎の鼻に強い香水のにおいが押しよせた。

「それは……でも克子さん、今日はいやに出勤が早いんですね」

「ドーハンよ。お客さんと待ち合わせて一緒にお店に行くことになってるの——それより」

と克子は軽く後ろを振り返り、

「あの怪しいじじい、また来てるわよ。気をつけないとやられるわよ」

例のホームレスの老人だった。いつものように弁当の棚の前でうろうろしている。中身が飛び出すほど膨れあがった大きなポリ袋を両手に持ち、体を引きずるようにして出ていく克子の後ろ姿から、ホームレスの老人に目をやって幹郎は胸のなかで呟く。

「どうせやるなら、わからないように……」

何気なさを装い、天井のあたりを眺めていると老人がカウンターに向かって歩いてくるのがわかった。買うつもりだ。ほっとする。今日もいちばん安い焼きそば弁当だった。

「ありがとうございました」

ホームレスの老人を送り出すと、

「店長、すっごくにおいますよ」

友子が嫌な顔で手を鼻の前でひらひらさせた。ホームレスの老人のにおいかと思ったら、克子の香水のにおいらしい。耳許に顔をよせてささやいたとき移ったのだ。

「安物だからよけいに嫌なにおい」

「そうか。じゃあ外でちょっと風にあたってくるよ、いい天気だし、それほど寒くもなさそうだし」

幹郎は、この何かにつけて融通のきかない友子がどうにも苦手だった。扱い方が、よくわからなかった。

外に向かいながら、そういえば香水のにおいで浮気がばれ、有紀美と修羅場を演じたことがあったのを幹郎は思い出す。

結婚して五年ほどが過ぎたころだ。相手の女性は有紀美が会社勤めをしていたときの同僚で、結婚後もしょっちゅう家に遊びにきていた娘だった。その娘とできてしまった。

仕事を終えてその娘に逢い、ラブホテルで抱きあってから夜遅く家に帰ると珍しく有紀美はまだ起きていた。まずいなと感じて、そばに近よるのを避けていたのだが有紀美は敏感に香水のにおいをかぎあてた。

何の申し開きも通らなかった。その香水はなんでも一般の市販品ではなく、調香師によって特別ブレンドされたもので、その娘の自慢の品だったらしい。もちろん使っているのは世界中でその娘ただ一人だ。念入りにシャワーで流してきたつもりだったが、妻の鼻をごまかすことは無理だったようだ。

おさだまりの修羅場を演じ、平謝りに謝って何とかその場は収まったものの、

「あなたが浮気をしたのなら、私も浮気をすればきちんとつじつまはあうけれど、そんなことはできるはずもないし。でも何とかしなければ不公平すぎて私の気持が収まらない。だから、何か好きな物を買わせてもらうことにします。それで何とか気持は抑えます。何を買う

のかはわからないけれど」

有紀美はそんなことをいった。

幹郎は了承した。物ですむのならそんなありがたい話はない。しかし、一体何を……。

数日後、有紀美が買ってきたのはごく普通のありふれたブラウスだった。ブランド品でも、しゃれたデザインものでもない。何かとんでもない高価なものを連想していた幹郎は呆気にとられた。

「二千八百円だったわ」

と有紀美はいった。そして、

「あの娘《こ》の値段はこれぐらいよ」

いいすてた。むろん有紀美がそのブラウスを着ることは一度もなかった。

有紀美は真面目すぎるほど些細なことにこだわり、一途すぎるほどの情熱で自分流のつじつまをあわせることが好きだった。というより何とかそれで自分を納得させなければ生きていけない性格だった。逆にいえばそれだけ正直だともいえる。多少歪んではいるけれど。そうなるとあの事故は、メモはどうなるのか……いくら考えてもわからなかった。

幹郎は若者たちがたむろしていたように、駐車場の端にそっと腰をおろした。寒さは感じられなかった。日は暮れかかっていたが冬とは思えないほどの暖かさで、ときおり吹き抜ける風が気持よかった。

幹郎の目が駐車場と歩道の境界線をとらえる。ちょうどその位置だ。喧太と一緒にカンケりをやったときに缶をいつも置く場所だ。あのころは笑いが絶えなかった。有紀美も、喧太も、そして幹郎自身も。

置かれていた缶の形を幹郎の目は正確になぞる。蹴りたかった……しかし、いつも停められているはずの八坂のメルセデスはその場所にはない。幹郎は缶の形をなぞり、八坂の黒いメルセデスの残像に向かって頭のなかで思いきり蹴った。缶が車体に音を立てて突き刺さった。

何のことはない。自分もつじつまあわせをしている。八坂の車に缶を蹴り当てても何の解決にもならない。有紀美と同じだ。それでも幹郎はメルセデスに向かって缶を蹴りたかった。

誕生パーティーがあるといって大量の商品を買っていった克子はそれっきりミユキマートには現れなかった。

治子が近所で聞きこんできたところによると、克子は、働いていた店や町金融《マチキン》にかなりの借金があり、相当追いつめられていたらしい。逃げたのはちょうど店に現れて借金をしていった日、行きがけの駄賃でこの店の商品をかき集めていったのだ。

「お人好《ひとよ》しもいいかげんにしないと」

治子はそういって幹郎を睨みつけた。

しかし克子はあの大荷物の商品を一体……売るといっても簡単にさばけるものではないし、第一それほど大した額にはならない。幹郎の脳裏に、商品は騙《だま》し取ったものの大量の弁当や菓子を前にして途方にくれている克子の顔が浮び、ほんの少しおかしくなった。

「友子さんのこともわかってるんでしょうね」

「えっ！」

訝しげな表情の幹郎に、

「万引きの件ですよ。お客の万引きもあるけれど、あの子自身も相当量、自分で持ち帰ったり、友達にあげたりしてますよ。知らなかったんですか。ある程度知ってて、いつもの無気力さで黙っているのかもしれないと思ってましたけど」

知らなかった。

あの真面目そうで、いつも本ばかり読んでいた教師志望の友子が。愕然《がくぜん》とした。

「弁当なんかは、あのホームレスのじいさんじゃなかったのか」

「あの人は万引きはしてません。かわいそうだけど、ただ見ているだけ。たまたま持ちあわせのあるときはお金を払って買ってます」

「…………」

「コンビニでは従業員の質がいちばん大事なんですよ。このままじゃこの店、本当につぶれますよ。そんなこと誰も……有紀美さんだって喧太君だって望んでいないはずですよ。気持はわからないでもないですが、なくなった二人のためにも、この店をきちんと守っていくのが幹郎さんの役目だと思いますよ」

治子は本気で怒っているようだ。怒気が顔に表れていた。きれいに沈んだ象牙色の肌が赤みをおびていた。

八坂が二週間ぶりに姿を見せたのは、幹郎と治子がそんな状態のときだった。

ふらりと店に入ってきた八坂の姿を見て、幹郎は低い声をあげた。並んで立つ治子が体を硬くするのがわかった。

八坂はぼろぼろの状態だった。

顔が紫色に腫《は》れていた。両目が糸のように細くなり唇からは血が流れ出していた。鼻の形がおかしいのは折れているのでは……左の足を引きずっていた。

右の手に包帯が巻かれている。小指のあたりを中心に包帯は真赤《まっか》に染まっていた。じくじくと血が滲《にじ》み出ていた。

「ゼニ、ユビ、ケジメ」

すぐにこの言葉が浮んだ。

カウンターの前で八坂は荒い息を吐いた。

「ヤクザ、やめたぜ」

かすれた声でいって、にやっと笑おうとしたようだったが頬は引きつったままだ。

「ちゃんとスジは通したから」

治子にいったようにも聞こえたし、幹郎にいったようにも聞こえた。

「八坂さん」

と幹郎が疳高い声をあげると、

「悪いっすが、今夜は何も買わずに行かせてもらいます。この状態では何も咽を通りませんから、手ぶらで帰らせてもらいます」

ゆっくりと頭を下げた。大きな背中を向けた。包帯から血がこぼれて床に落ちた。八坂は入口に向かって足を引きずって歩いた。

治子が動いたのは八坂が入口のドアに手をかけたときだ。カウンターから飛び出した。すぐに幹郎もあとにつづく。

ドアを出た八坂がふいに倒れた。すぐ脇に男が二人立っていた。一人は木刀を手にしている。以前、この駐車場で八坂に殴られた若者だった。二人とも肩で息をしていた。息が白く染まった。空気全部が凍てていた。

「馬鹿野郎がいいざまだぜ」

木刀を手にした若者が震え声でいった。ずっと見張っていたのか偶然見かけたのか、外に出た八坂を手にしている木刀でいきなり殴りつけたようだ。

もう一人が、うずくまっている八坂の体を力をいれて蹴りつけた。嫌な声を八坂があげた。その声に刺激されたのか、男は「このー、このー」と怒鳴りながら蹴りつづけた。

治子が動いた。いきなり男に体当りをした。八坂の上におおいかぶさった。

「やめてっ」

叫んだ。とてつもなく大きな声だった。

幹郎も動いた。木刀を持った若者にむしゃぶりついた。すぐに撥《は》ねとばされた。足にしがみついた。蹴られた。離さなかった。絶対に離すまいと幹郎は思った。頭の芯がぐらぐらしたが、体中が奇妙な高揚感に包まれていた。

うずくまっていた八坂の体が動いた。

「ウオーッ」と吠えた。

一気に立ちあがった。両目が火のように燃えあがった。男たちがひるんだ。ふらりと八坂が近づいた。男たちの目に怯《おび》えが走った。

一人が奇妙な声をあげて後ずさる。幹郎のつかんでいた足が腕のなかからすぽんと抜け、カランという音とともに、もう一人が木刀をすてて走り出した。八坂はその場に座りこんだ。

「大丈夫なの、ねえ大丈夫なの」

泣き出しそうな声を治子はあげた。

「大丈夫っす。平気っす」

「ばかね、大ばかね、ほんとにばかね」

「はいっ」

と低い声が返ってきた。

八坂の大きな体は、小さな治子の両腕にしっかりと抱きすくめられていた。治子は赤ん坊を守るようにしっかり八坂を抱いていた。まるで大きな子供のようだった。

そんな八坂の様子にようやく安心したのか、

「幹郎さん」

今度は幹郎の顔を治子は真直ぐ凝視した。

「少しはこの人を見習いなさい」

腹の底から声を出した。

「この人はクズだけど、きちんと一本スジは通っている。こんなになっても自分のスジだけは通そうと必死にあがいてる、でも幹郎さんは、いろんな理由をあれこれあげて現実から逃げてばっかり。この人より幹郎さんのほうがよほど人間のクズよ……幹郎さんは、有紀美さんの残したメモの言葉が気になってしかたがないようだけど、たとえそれがどんな内容であっても有紀美さんはすでにこの世にいないってことは確かなのよ。いない人の書いたメモをあれこれ詮索しても仕方がないじゃないの。生きている人間を大切にして、自分をもっと大切にして。お願いだから……」

幹郎は耳を疑った。

なぜ治子があのメモのことを知っているのか。幹郎は今まで一人をのぞいてあのメモの存在を話したことはない。八坂をのぞいて誰も知らないはずだった。

治子は八坂と逢っている。治子は八坂と内緒で逢っていた。そういうことなのだ。

「そんなに気になるのなら教えてあげるわ。あの点線の部分にどんな言葉が入るか」

教えてやると治子はいった。

「私、幹郎さんのことずっと嫌いじゃなかったから、だからこんなこといいたくなかったけど。でも今は……今ならいえるわ。有紀美さんは、それでもしあわせでした、っていいたたかったのよ。点線は、それでも、って言葉のかわりなのよ」

「それでも……」

幹郎はぼそっと呟いた。

「そう。家庭的な旦那《だんな》様じゃなかったけれど、せっかく授かった喧太君もあんなことになってしまったけれど。それでも有紀美さんは幹郎さんのことが好きでたまらなかったのよ。どうしようもないほど好きだったのよ。女ってね、恨んでいても憎んでいても好き嫌いは別。好きなものは好き、理屈じゃないの。いろんな悲しいことがあったけれど、それでも有紀美さんにはしあわせだったという気持があったのよ。メモに書いてあったのは本音なのよ。ただ素直に書けなくて、あんなふうに有紀美さん流に何とかつじつまをあわせて書いたんだと私は思う……そのメモが単なる走り書きなのか、それとも遺書なのかは私にはわからないけれど――」

今度は八坂が治子の体を抱きしめていた。分厚い手が静かに治子の背中をなでていた。どれぐらい時間がたったのか。八坂の目が治子とは別のほうを見ているのに気がついた。ちょうど店の軒下あたり、そこに子供が立っていた。あの男の子だ。喧太によく似た男の子だった。

男の子の視線は小さな駐車場の隅に注がれている。空き缶だ。四台分しかない駐車場の端っこにコーラの空き缶はきちんと律儀に立っていた。それはまるで蹴ってほしいといっているかのように見えた。

男の子はその空き缶をじっと凝視していた。異様なものを見るように凝視していた。

「堀さん」

と八坂が低い声をあげて顎をしゃくった。

「蹴ってくれ。あいつ目がけて力一杯蹴ってくれ」

八坂が大事にしていた黒のメルセデス・ベンツ。そいつは缶の直撃を待ちかねているように、おとなしく駐車場の端に停められていた。

「蹴ってくれ」

八坂がまた声をしぼり出した。

幹郎はのろのろと体をおこした。あちこちがずきずき痛んだ。ゆっくりと立ちあがった。男の子がこちらを見ていた。悲しそうな目に見えた。華奢な体は喧太によく似ていた。喧太に違いないと思った。

「喧太」

と叫んだ。両目が熱くなった。

幹郎はゆっくりと視線をコーラの空き缶に移した。これを蹴れば……本当に楽になれるのだろうか。重要なのはこんなことではないのでは。しかし……。

「蹴れっ」

と八坂がものすごい声をあげた。

幹郎は空き缶に向かってのろのろと走った。顔に凍てた風が突き刺さった。思いきり足の

力をためた。蹴った。いい音がした。空き缶が宙に舞った。瞬間、

『当るな！』

と幹郎は心に念じた。缶がクルマに当れば、喧太に似た男の子は二度と自分の前に現れない。そんな気がしてならなかった。

第二話　向こう側

もう三十分以上もそのままだ。

段ボールを満載した古ぼけたリヤカーに茶色の雑種犬がつながれていた。時折周囲をゆっくり見回したりするものの、ほとんど体を動かさない。感心としかいいようがなかった。前足をきちんと揃えて座っている姿は健気《けなげ》という言葉がぴったりだ。

胴体にそまつな革ベルトが巻かれ、そこからリヤカーの脇に向かって綱が伸びていた。ついさっきまで、茶色の犬は渾身《こんしん》の力をふりしぼって四つの足でリヤカーを引っぱっていたのだ。

治子は週刊誌を商品棚に並べる手を休め、ガラス越しに視線を犬に走らせながら、どこかで同じ光景を見たはずだがと一生懸命考えを巡らしているが、それがどこだったのかさっぱり思い出せないでいた。

黒目がちの目が思慮深そうにも悲しそうにも見えた。中型の犬だったが、身じろぎもしない律儀な姿が実際よりも体を小さく感じさせて、健気さにいっそう拍車をかけた。汚れた体が輝いてさえ見えた。

犬が小首を傾げた。

「あっ」

と治子は小さな声をあげた。

ようやく思い出した。音響メーカーのマークに犬をデザイン化したものがあったはずだ。あれは確か、スピーカーから流れてくる、死んでしまった主人の声を耳を澄ましてじっと聞いている犬の姿を図柄にしたものだ。そっくりだった。

治子の目が、食料品のケースを覗きこんでいる老人の後ろ姿に注がれた。犬の飼い主だ。ひと月半ほど前から週に二回ほど、治子の勤めるこのちっぽけなコンビニに姿を見せるホームレスだった。

老人は店に来ると、置いてあるショーケースのなかのあらゆる商品を見て回る。週刊誌の類から冷蔵庫《リーフイン》のなかの飲料水、日用雑貨、文房具の類からスナック菓子まで……貪欲だった。何がそれほど面白いのか、ひと通り、店中の商品を見て回ってから最後に食料品のケースに行き、弁当をひとつだけ手にしてレジにやってくる。

今日もまったく同じだった。

老人はいちばん安い焼きそば弁当を手にして、のっそりとレジに近づいた。着古した防寒コートは埃《ほこり》を吸えるだけ吸って白っぽく変色しているし、襟巻《えりまき》がわりの首のタオルは白い色にすっかり垢がこびりついて何ともいえない微妙な色具合に変っている。

「毎度ありがとうございます」

『ミユキマート』のオーナーである幹郎の声が響いた。

ちらりとカウンターのほうを眺めると、ホームレスの老人に向かって最敬礼をしていた。幹郎らしい仕草だった。

「ホームレスを見てると親近感が湧くんだ。とても他人事とは思えなくてね」

以前、幹郎がこんな言葉をもらしたのを治子は聞いたことがある。納得はできた。幹郎は四十歳を過ぎてから一人息子と妻を相次いで交通事故でなくし、今は一人きりの身だった。一時は自暴自棄になって店の経営にもやる気をなくし、いつつぶれてもいいような商売をしていたが、近頃はほんの少しだったけれど改善の兆《きざ》しを見せている。

「あのう」

代金を払った老人が入口脇の雑誌のコーナーに来たとき、治子は思いきって声をかけてみた。ちらりと外の犬に目を走らせ、

「名前、なんていうんですか」

真黒に日焼けした皺だらけの顔に怪訝《けげん》な表情が浮んだ。ちびた目の奥にぽっと灯りがともったような気がした。

「俺の名前かいね」

勘違いしている。

「――あっ、犬の名前です」

治子は慌てていって頭をかいた。

老人の顔がぎゅっと縮んで無表情に戻った。心なしか顔が赤らんで見えた。

「マルっ」

と呟いて治子の前を急ぎ足で離れた。

老人が外に出たとたん、待っていた犬が猛烈にしっぽを振り出した。まるで風車だ。立ちあがって地団太を踏むように体をゆさぶり、くうん、くうんとやるせのない声をあげた。何か声をかけながら老人が犬の頭をなでた。背中をなでて体中をぽんぽんと叩いた。

老人と犬とどちらが幸せなのだろう。

そんな思いが唐突に治子の胸に湧いた。

「人間同士もあんなふうになれたらいいんだけど……無理だろうね」

いつのまにか隣に並んだ幹郎がいった。

「そうですね」

と低い声をもらす治子に、

「どう。八坂さんとはうまくいってるのかな」

どう答えたらいいのか。治子は曖昧にうなずいて視線を犬と老人に向けた。

老人の引くリヤカーが動き出した。犬も渾身の力をこめて引っぱった。体が前につんのめり、首を長く伸ばして四肢で路上をかくように力をこめた。地をはうような姿勢だった。前足の付根がまるで人間の力こぶのように盛りあがった。綺麗な姿だと治子は思った。犬の吐く息がかすかに白く染まった。

そろそろ冬の終りが近づいている。

八坂と連絡がとれなくなってから半月が過ぎていた。


ヤクザの組員だった八坂が、治子に声をかけてきたのはひと月半ほど前のことだ。

「一度外で逢ってくれませんか」

品物の入ったかごをカウンターに置き、こう低い声でいって八坂は視線を落とした。

「……ヤクザ、やめなさい。話はそれからでしょ」

このとき治子は凛とした声でこんなことをいって八坂を睨みつけたのだ。

それから半月後、八坂は右手を血だらけにしてミユキマートに現れた。小指を中心にして巻いた包帯は真赤に染まり、したたり落ちた血が床を濡らした。

「ヤクザ、やめたぜ」

うめくようにいう八坂の顔も傷だらけだった。リンチのあとだ。体全部から血のにおいがした。ぼろぼろになった八坂の姿を、治子は不思議なものでも眺めるように見た。

体の奥に疼《うず》くものがあふれた。赤くてどろどろした血の塊だった。濁りのある湿った塊だったけれど、一方では大声で歌でもうたい出したくなるような弾んだ感情が体中をかけずり回っていた。

八坂とは幾度か外で逢った。

近所の居酒屋の『万吉』で酒を前にして看板まで話をするのが常だった。といっても八坂は決して饒舌《じょうぜつ》ではない。ぽつりぽつりと言葉を折るような独特の喋り方をした。八坂の右手にはまだ厚い包帯が巻かれていた。

「ヤクザやめて何をするの」

と訊く治子に、

「クルマの修理やるっす。俺、クルマ好きだから。つるんで暴走族やってたころのダチが赤羽《あかばね》で修理店ついでますから。そこへ転がりこむつもりです」

ぼそぼそした声だったが、ほんの少し明るい口調で八坂は答えた。

「それで、つづきそうなの」

「つづかせます」

強い口調だった。それからふいに両目に力をみなぎらせ、治子を睨みつけるようにして、

「それでも、いいっすか」

赤い目だった。牝《めす》を追いつめる獣の目だった。体全部に電流が走った。今、私は犯されていると治子は思った。男からこんな目で見られるのはどれぐらいぶりなのか……でもどう答えたらいいのか。

「私だってバツイチよ」

こんな言葉が口から出た。いい答えだと治子は納得した。

「はいっ」

といって八坂は視線をカウンターに戻した。

端整な横顔だった。睫が長い。眉毛の上に刃物で斬られたらしい引きつった傷痕が盛りあがっていたが決して醜くはなく、むしろ顔全体に締まった雰囲気を与えている。ブランド物のアクセサリーを感じさせる傷痕だった。

横顔からそっと視線をそらし、私は二枚目好みなのだろうかと治子は考える。別れた亭主も顔は整っていた。上背もあったし、人あたりもよかったが性根のほうが腐っていた。

車のセールスをやっていた関係上、女性の客と会う機会も多く、その何人かに手を出していた。おまけに遊興費目的でサラ金のあちこちから借金をし、アパートにはしょっちゅう鋭い目をした男たちが取りたてに押しかけた。

もうあんなヤクザな男はこりごりだと治子は思う……だが八坂だけは根本が違うような気がする。八坂には何かこう、一本スジのようなものが通っていた。そんなものが日常の生活に必要なのかどうかはわからなかったが、普通の人間の持っていない眩《まぶ》しいものを抱えているような気がしてならなかった。八坂は治子より一つ下の二十九歳だった。

酒を飲みながら話していても、無口な八坂との会話は滞ることがよくあった。言葉と言葉の間にすきまがあき、以前の治子なら、こんなときは相手が次の言葉を口にするまで黙っていたが八坂の場合は違った。積極的に話の接穂《つぎほ》を探した。自分は変ってきていると治子は感じた。

あれは何度目に逢ったときだったか。話が途切れ、治子は共通の話題を必死で頭のなかで探したすえ、

「郷里《くに》はどこなの」

と八坂に訊いた。

八坂は地味で自己を表に出さない男だった。自分と同じで地方出身者のような気がした。

「東京です。隅田川のそばのごみごみしたところで生れました」

期待したものとは逆の言葉が返ってきた。

そういってから八坂は「治子さんは」と訊いた。

「私は」

といって治子は少しつまった。

東京生れの人間に対して引けめのようなものがあった。つまらないコンプレックスだったが、この気持は治子の胸の奥にずっと巣くっている。引越して来たころ、東京の人間と話をすると、きまって叱られているような気分になった。調子が冷たく語尾が強い。そんなせいかもしれなかった。

「岐阜県の真中あたり。長良川《ながらがわ》が町を縦断するように流れていて、とてもきれいなところ。住むには最適の場所よ」

治子は生れ育った小さな町の名をいい、

「私はそこに小学六年生までいたわ」

本当は中学三年までだった。

「長良川っていえば、鮎《あゆ》っすか」

ぼそっという八坂に、

「そうよ鮎。長良川の鮎は日本一。特に私が生れた町を流れる場所の鮎は天下一品なんだから。形が美しくって身がしまってて」

「いいっすね、鮎の塩焼は。二、三度、食べたことがありますが、うまかったですよ」

本当にうまかったのだろう。いつもコワモテの八坂の表情が少しゆるんだ。すかさず、

「あらっ」

と治子は弾んだ声をあげた。

「鮎は塩焼なんかじゃなくて、鮎寿司がいちばんなのよ。由緒もあるし味も上品だし、長良川の鮎寿司は通人の間では珍味中の珍味になってるわ。昔は足利将軍や各地の大名にも贈られていたし、特に江戸時代には、将軍への献上品として欠かせないものになって、そのための道すじを、おすし街道なんていったものなのよ……ああ、もういっぺん食べたいなあ」

いい終えてから治子はかすかに吐息をもらした。

私はまた見栄を張っている。つまらない見栄……都会生れの人間を前にして故里の話をすると、ついつい力が入ってしまう。鮎寿司などたった一度しか食べたことがないくせに。それも小学生のころに……いい思い出など、ほんの数えるほどしかなかった故里だというのに。

八坂をアパートの自室に招きいれたのはそれからすぐだった。

ある種の覚悟と期待はあった。亭主と別れて三年が過ぎていたが、ことさら男を求めていたわけではない。治子自身、そうした欲望には淡泊なほうだと自覚していた。それが今度は違った。八坂のことを考えると体が熱くなった。同時に両の頬が自然にほころぶのがわかった。

八坂は治子のために、指を切り落としまでしてヤクザの組を抜けた。まさか本当にやるとは。このことを考えるだけで充足感が湧いた。理屈ではなかった。むやみやたらと楽しくなり、鳥肌が立つほどの嬉しさが湧きあがった。治子は八坂がかわいくて仕方がなかった。

「まるで中学生ぐらいの小娘」

と思いつつ、熟れた女の兆候を示す体の変化にとまどっている自分をもてあました。ヤクザ者の習性なのか元々の性格なのか、八坂には妙に行儀のいい一面があった。

「いただきます」

軽く頭を下げて、テーブルから両手で茶碗《ちゃわん》を押しいただくようにして自分の口に運んだ。八坂はきちんと正座をしていた。

「ほら哲《てつ》ちゃん。そんなにしゃっちょこばらないで」

治子は哲次《てつじ》という八坂の名前をちゃんづけで呼んでいた。

「はいっ」

と八坂は抑揚のない声をあげて、ゆっくり茶碗をテーブルに戻した。

いつものように万吉で飲んだあと、アパートの前まで送ってくれた八坂に、

「お茶でも飲んでいきませんか」

と治子のほうから声をかけたのだ。

八坂は手を膝に置いて黙って正座している。右手にはまだ包帯が巻かれていた。五指を軽く握りこんでいるのでわからないが、左手の小指の先もないはずだった。

つるんとして、妙にさっぱりとした左手の小指を、治子は八坂に会ってもなるべく見ないようにしていた。不気味だった。女には一生理解できない、よその国の出来事だとずっと思いつづけてきたが今は少し違う。

『あれは交通事故か何かで失った指なんだ』

そんなふうに考えるようにしてから、それほど嫌悪感を覚えなくなった。

「もう一杯、お茶いかがです」

と急須を持って茶碗に手を伸ばしたときに八坂の右手が動いて治子の右手にふれた。

つかまれたわけでも、強い力で引っぱられたわけでもなかったが、治子の体はふわりと八坂の膝の上に倒れこんだ。手に持っていた急須をそっとテーブルの上に置いたが、胸全部がこわれるほど鳴っていた。

唇をふさがれた。太い舌が治子の唇を割って入りこみ、口中をかきまわした。強い力で吸われた。容赦のない力に舌の根が悲鳴をあげたが平気だった。

体の芯がどろどろに溶けて何か別のものになっている。自分のものがぬめっているのが治子自身にもわかった。

ふいに唇を離して八坂が治子の顔を見た。

泣き出しそうな顔をしていた。なぜ、この人はこんな顔をしているのか。わからないまま、治子は大きな体にしがみついた。すぐに強い力で抱きしめられた……。

分厚い八坂の手が動いて、遠慮気味にスカートを割り、腹の上から下着のなかをすべって濡れた部分にふれた。体をよじる治子の部分からぬめりをすくった。ふたをするように、ぴたりと手をその部分に密着させた。まるで何かを確認するような行為だった。治子の口から、あえぎ声がもれた。

突然、密着していた手が下着のなかから抜かれた。そのまま後ずさって八坂は治子の顔を凝視した。両目が据わっている。

何がおこったのかわからなかった。

八坂は治子を凝視しながら上衣を脱いだ。シャツを脱いで下着を脱いだ。むき出しになった両肩のあたりが青黒く染まっているのがわかった。

「これでも、いいっすか」

押し殺した声を出して、八坂はくるりと背中を向けた。治子の目のなかに極彩色の模様が飛びこんできた。

火傷《やけど》だと思った。背中一面の火傷だ。極彩色のうねった線は火傷のひきつれによく似ていた。こんな大火傷を……茫然とした表情で八坂の背中を眺めていた治子は、突然それが何であるかに気がついた。

刺青《いれずみ》だ。背中一面に彫られた不動明王の刺青だ。

不動明王は憤怒《ふんぬ》の形相をして治子を睨みつけていた。背中に火焔《かえん》を背負い、手に真直ぐな剣を握って、まなじりの切れあがった恐ろしい目で治子を威圧した。

背中にすっと寒気が走った。嫌悪感が湧いた。ヤクザだった八坂が刺青をしていても何の不思議もない。気がつかなかった自分が迂闊《うかつ》だったのだ。八坂と関わるということはそういうことなのだ。

「ああ」

と治子は意味不明の声をあげた。

理屈では納得できたが精神のほうがついていけなかった。生理的な嫌悪感が一気に襲った。気がつくと体中に鳥肌が立ち、治子は小刻みに震えていた。

このとき治子は、あれほど濡れきっていた自分の部分がすっかり乾いていることに気がついた。かさかさに乾ききっている。体はそんな状態を示していても……それでも治子は八坂が好きだと思った。

「失礼します」

と、八坂がいい、治子から目をそらして脱いだ衣服を身にまとい出した。

「あっ」と治子はかすれた声をあげ、

「帰るの――」

「はいっ」

八坂はいつもの口調でいって立ちあがった。深々と頭を下げた。

「明後日の夜、もう一度来て」

大きな背中に甲高い声をぶつけた。

「そうすれば……今夜はいきなりでびっくりしただけなんだから」

叫んだ。

「はいっ」

と八坂は背中ごしに、また短く応え、

「ごちそうになりました」

といって玄関のドアを開けた。

治子はまだ小刻みに震えていた。


約束の夜、八坂は九時過ぎに治子のアパートを訪れた。治子はこの日、六時頃に店を切りあげてアパートに帰り、まず、風呂に入った。それから食事の仕度だ。ビールを飲んだ。小さなテーブルの上には卓上コンロの上で鉄鍋が湯気をあげている。治子自慢のすき焼だった。

「すごく、うまいっすね」

八坂の顔がくしゃりと崩れた。少年のような無邪気な顔だ。白い湯気の向こうに見える、眉の上の傷痕が電灯のあかりに光っていたが気にならなかった。小指の先がないのも気にならなかった。

眉の上の傷痕も小指の先も。あれは何らかの事故のせいでそうなったのだ。密かにそう決めこもうとしていた治子だったが背中は……火傷のせいにしたかったが残っているのはひきつれた傷のあとではない。正真正銘の不動明王の絵柄なのだ。具体的すぎた。

「お肉どっさりあるんだから、たくさん食べてよ哲ちゃん」

「いただいてます……しかし何だか、お見合いみたいっすね、これ」

八坂の言葉に、これは紛れもなく見合いなのだと治子は自分にいい聞かせる。牡《おす》と牝の見合い、肉体同士の見合いなのだ。真剣勝負なのだと治子は思った。

テーブルの脇にビール瓶《びん》がずらりと並んだ。時計を見ると一時間以上たっている。治子もかなり飲んでいるはずだが酔いは感じなかった。ただ、心が熱かった。

「哲ちゃん」と咽につまった声を出した。

「はいっ」

八坂が緊張した声で応えた。

「今夜は大丈夫だと思うから……」

細い声でいって治子は膝でにじりより、八坂の体にもたれかかった。顔を真直ぐ見つめ、自分から唇をよせた。

「好きなんだから」

いやいやをするように治子は唇をこすりつけ、そのまま二人は畳の上に倒れこんだ。

八坂の舌が耳を舐めている。

分厚い手がブラウスの上から乳首を愛撫した。柔らかい動きだった。ふいに、ふくらみ全体をすっぽりつかまれ、強く揺さぶられた。治子の咽がひくっと音をたてた。

耳は八坂の唾液で濡れきっていた。耳のなかに熱風が吹いているようだった。低いうめき声をもらしながら、自分のあの部分は濡れているのだろうかと治子は頭のすみで考える。濡れているはずだ。まだ鳥肌も立っていない。気持だって充分に昂っている。八坂を受けいれる状態は万全のはずだ。

八坂がつっと治子の体から離れた。上衣に手をかけて脱ぎにかかった。

「脱がないで――」

消えいりそうな声で治子がいった。

八坂は小さく首を振った。

上衣を脱いでシャツをとり、下着を脱いだ。両肩の青黒い模様が治子の目を射た。どきりと胸が鳴った。あっと思った。背中一面に鳥肌が立った。

上半身裸になった八坂が治子の脇に横になり、ぎゅっと抱きしめてきた。分厚い手が下着のなかにさしこまれて治子の部分にふれた。

『私は濡れていない』

その瞬間、治子はそう感じた。

心はこれほど八坂を求めているのに、体のほうはあからさまに拒否の反応を示している。

理由がわからなかった。

「かまわずにつづけて」

治子は叫んだ。

八坂の太い指がじわりとひだを探った。割れ目をこじあけてすきまに入った。突き進んだ。治子は突然、その部分に痛みを感じた。乾ききっている。体が小刻みに震え出した。

八坂が指を抜いた。泣き出しそうな表情だった。乾いた音をたてて、女の部分がぴしゃりと閉まったような気がした。

「なぜ、やめるの」

という治子のことばに八坂は首を振ってのろのろと起きあがった。脱ぎすてられた衣服に手を伸ばした。背中が見えた。憤怒の不動明王が睨みつけていた。鳥肌は治子の全身に広がっていた。

「俺は治子さんが好きです……だから」

といって八坂は少年のような目で治子を見た。

「無理やりにはできないっす」

衣服を身につけ、ぺこりと頭を下げて大きな背中を向けた。

「また、来るんでしょ」

治子はぶつけるように叫んだ。

「はいっ」

というかすかな返事が聞こえてきた。

ぺたりと畳の上に座って治子はぎりっと唇をかんだ。鼻をすすった。八坂が好きだった。

『私の体は何を恐れているんだろ』

火のような疑問が体全部を押しつつみ、それからふいに八坂はひょっとしたら、向こう側の人間だったのだろうか……そんな思いが頭のなかをよぎった。

この夜を境に八坂からの連絡は絶えた。

治子のほうから八坂の携帯電話に連絡してみてもつながらなかった。アパートのほうに訪ねてみたが、人の住んでいる様子はうかがえなかった。

八坂は治子の前から姿を消した。


ちょうど夜の八時を回ったころだ。

治子はせっせと弁当《ベーハン》ものの前出しをしている。前出しとは商品が売れてボリュームのなくなった陳列ケースのなかの並べ方を変え、見た目を賑やかにすることだ。

「焼きそば、元気がないね」

と後ろから声がかかった。幹郎だ。

「安いから人気はあるんですけど、やっぱり残りが一、二個になると急に元気がなくなりますね」

弁当ものに限らず、残りが少なくなると、不思議に客は手を伸ばすのをためらってしまい、大抵その商品は売れ残ってしまうのだ。

「こんなときに、あのホームレスのおじいさんが来れば確実に一つは売れるんだけど」

呟くようにいう治子に、

「あのじいさん、焼きそば専門だったな。安いからなのか、それともよほど焼きそば好きなのか……」

焼きそば弁当は賞味期限が明日の朝になっていたが、十時までに売れなければ廃棄処分だ。ミユキマートは終夜営業ではないため、閉店時間が廃棄処分のリミットになる。

「ところで」

といって幹郎は治子の顔をそっと覗き、

「近頃、治ちゃんも元気がないね」

表情をくもらせた。

「私――」

治子は軽く咳ばらいをして、

「私も売れ残りですから。そりゃあ、何かと元気がないこともありますよ」

おどけた表情を幹郎に向けた。

「売れ残りはないだろう」

「あらそうですよ。とっくに賞味期限切れてますもの」

賞味期限の切れた、売れ残りの女は濡れもしないんですよ、と治子は突然大声で叫びたい衝動にかられたがかろうじて抑えた。抑えたとたんに意味もなく力がみなぎった。

「その元気があれば、大丈夫みたいだな」

幹郎がそういって顔を崩したとき、入口が押されて客が一人入ってきた。治子は急いでレジカウンターに向かって歩いた。

「夜食にしたいんだけど、どの弁当がいいかな」

客が幹郎にそんなことをいうのが聞こえてきた。

「焼きそば弁当が人気ありますよ。安いしボリュームもありますし」

大声を飛ばす治子をちらりと眺め、すぐに客は無造作に焼きそば弁当を二つ手に取った。

レジで焼きそば弁当の代金を打っていると、ふいにその客が声をかけてきた。

「あなたが、治子さんっすか」

訝しげな目で治子が客を見ると、

「八坂のダチです。ついこの間まで、あいつはうちで働いてました。長野《ながの》といいます」

「ああっ」と治子は低い声を出して唸った。

男はポケットから名刺を取り出して治子に差し出した。『長野パーツ・代表・長野敏之《としゆき》』とあった。住所は赤羽になっている。

「俺の甲斐性で作った店じゃないっすから。オヤジからの単なるもらいもんですから」

と長野と名乗った男は、まず前置きをいってから少し顔を崩し、

「あいつのことで治子さんに、ちょっと話があるっすよ。ほんの少しでいいですから時間と

ってもらえませんか」

「ああ」と治子はまた唸った。心臓がものすごい音をたてて躍り出した。

「……あと三十分もすればアガリですから、それまで待ってもらえますか」

倉庫《バックルーム》に向かう幹郎の背中を見ながら小声でいった。うなずく長野の雰囲気は恐ろしいほど八坂に酷似していた。全身に押さえつけるような暗い覇気があった。八坂とおなじ種類の人間だった。治子は長野に近所の喫茶店を教えた。

仕事を終えて急いでその喫茶店に行くと、長野は店の奥にうずくまるように座り、タバコをせわしなく吸っていた。

「ゾク時代からのマブダチです。俺がアタマであいつが斬りこみ隊長。つるんで随分あばれまくったもんです」

長野はこんなことをいった。それからしばらく暴走族時代の話がつづいたが、治子には想像もつかない、非日常の縁のない世界だった。

ひとしきり話をしてから、長野はじっと治子の顔を底光りのする目で見つめ、

「嫌いですか、やつが」

ぽつんといった。治子は激しく首を振った。何度も振った。

「そんなことじゃないかって思ってましたよ。何があったかは訊きませんでしたが、ボタンのかけ違いにきまってるだろうって。あいつはみごとにふられたっていってましたけど、俺はそんなこと信じなかった。だからここに来たっすよ」

「…………」

「あいつ、真剣にあなたに惚れてたんですね。それこそ死ぬ思いで。怒ると何をやらかすかわからない男だけど、惚れた女に関しては一本びしっとスジが通っていた。律儀なんですよあいつは。莫迦みたいに……どうせ、いい格好して痩せがまんして身を引いたってとこでしょうが」

長野の両目にすさまじい力がこもり、しぼり出すようにいった。

「あいつ、組に戻りました。死ぬ気です」

治子の体全部がざわっと騒いだ。背中に鳥肌が立つのがわかった。死ぬ気……。

「いったん抜けた組に戻るための無茶な条件ですよ。強欲でちんけな組ですから。組に戻りたいっていうあいつの話を聞いて、その交換条件に鉄砲玉を押しつけたんですよ。成功したら組に戻してやるって……」

長野の目から強い光が消えていた。抑揚のない声で淡々と話した。

「成功したって懲役。まあ十中八、九は殺されることになるはずですがね。そんなことは百も承知で、あいつは引きうけたんですよ。初めから死ぬ気っすよ……あなたと別れたあと、あいつは堅気《かたぎ》の世界で地道に生きていく目的を失ってしまったんです。あちらにいた人間にとって、堅気の世界っていうのはけっこう辛いものがありますから」

池袋に事務所を構える、構成員二十人ほどの小さな組だという。その組織の組長が大阪で組を構える兄弟分から抗争の助っ人を頼まれ、断りきれずに頭を抱えていたところへ、八坂が組に戻りたいという話を持ちこんだと長野はいった。渡りに舟だった。

殺《や》る相手は大阪の兄弟分と抗争中の組の若頭だった。武闘派中の武闘派で、その男を倒せば組は総崩れとなり、有利な条件で手打ちに持っていけるということだった。

「けどね。どこの組だって自分のところからはなるべく鉄砲玉は出したくない。関わりのない人間を使ったほうが後々、大事にはならないからね。あいつの組も同じで、自分の身内を使わなくてすむならそんな都合のいい話はない。だから八坂に白羽の矢が立ったんだ。あいつは今、正真正銘の一匹狼だから」

こんなことを長野はいい、真剣な表情で治子を見つめて、

「……八坂と逃げてほしい」

熱っぽい声でいった。

治子は長野のいっている意味がわからなかった。逃げるといっても、八坂が今、どこで何をしているのか見当さえもつかない。

「あいつは今、大阪にいますよ」

治子の思いを察したのか、長野はぽつんといってから、

「大阪でその若頭の動向や癖を探ってますよ。しかし実際に事をおこすのは大阪じゃない。あと数日すればその若頭が断りきれないギリガケのために東京へ出張《でば》ってくることはわかってるんです。店をやめるときに八坂がそういってました……どうせやるなら土地鑑のある東

京でやるにきまっています。そのほうが成功率高いっすからね。あいつは何をやるにも律儀ですから」

治子は何をどう考えて、どう喋っていいのかまったくわからなかった。あまりにも治子の日常からはかけ離れた非現実な世界の出来事だった。

治子の頭にミユキマートのちっぽけな姿が浮んだ。幹郎の顔が浮んだ。焼きそば弁当を買う老人の姿とリヤカーを懸命に引っぱるマル……治子の日常に鉄砲玉だの殺人だのという言葉が納まる場所はないはずだった。しかし、八坂と関わるということはそういうことなのだと思った。

「決行する前にあいつは必ず来るっすよ、あなたのところへ。死を前にしたら、好きな女の顔が見たくなるのは当り前のことです」

といってから長野は視線を自分の足許に移し、

「好きな女と思いきりやりたくなるっすよ。男ってのはそういうもんです」

ぼそっといった。

「だから、あいつが来たらそんな莫迦なまねはやめさせて、一緒に逃げてやってほしいんですよ。やめれば組の怒りをかってもう東京にはいられません。どこか遠いところにでもいって一緒に暮してやってほしいんです。むろん無理強《じ》いじゃありません。お願いです。あいつを死なせたくないんです」

長野はそれから黙りこんだ。どれぐらいたったのか。ふいに立ちあがって治子に深々と頭を下げた。お願いしますとかすれた声をあげた。

「あいつは必ず来ます」

そういってまた頭を下げ、後ずさりをするようにして背中を向けた。

一人残された治子は、体がぶるっと震えるのを抑えられなかった。いいようのない恐怖に襲われた。好きな女を抱きにくると長野はいったが、自分の体が使いものになるかどうかもわからなかった。もともとそれが原因で八坂は去っていったのだ。体がまたぶるっと震えた。ヤクザな男は嫌いだったが八坂だけは別だった。


今日はリヤカーを引っぱっていない。

マルは主人の出てくるのを待って、店の駐車場で行儀よく座っている。小首を傾げてちょこんと座っている姿は、やはり音響メーカーのマークに似ていた。

弁当の棚の前で、何やら考えごとをしている様子で立っていたホームレスの老人がしゃがみこんで手を伸ばした。いつもと同じ焼きそば弁当だったが今日は二個だった。

「あら、二つなんですね」

と、品物を受けとった治子が無表情で突っ立っている老人に声をかけた。

「マルが……」

といって老人は鼻をぐずっとすすった。

「ちょっと元気がないんだ。だから」

「いつもは半分ずつ分けて食べるんだけど、今日は元気がないから一個、食わせてやろうと思ってな……あいつは変な犬で焼きそばが大好きなんだよ」

「えっ――」

ようやく納得できた。

同時に、なぜいつも焼きそば弁当なのか疑問に感じていたが、やっとわかった。犬のためだったとは。

代金を払い終えた老人がドアの前に立つと、それだけで気配がわかるのかマルが騒ぎ出した。体を左右に揺さぶりながら風車のようにしっぽを振った。老人の話を聞いたせいか、そんなそぶりにもどことなく覇気がないように見えた。ひとしきりはしゃいだあと、マルは老人と一緒に帰っていった。あれほど力一杯振っていたしっぽがたれていた。

「ホームレスになれるか、治ちゃん」

商品の整理をしていた幹郎がレジカウンターのそばにきて唐突にいった。真顔だった。

「わかりません」

ちょっと考えてから治子も真顔でいうと、

「私はなれると思うよ……簡単なことさ」

幹郎は一瞬口ごもってから、

「守ることのほうがずっと難しい、本当は簡単なんだよ、すてるなんてことは。よっこらしょって、よけいな肩の荷を全部おろしちまえばそれでいいんだから」

幹郎は肩をすとんと落としていた。

治子の脳裏に小学生のときのある出来事が浮んでいた。四年生になったばかりの春、まだ底冷えのする日だった。

治子の生れたところはかつての城下町で、ひなびたなかにもぴんと張りつめたものを色濃く残す古い町だった。

治子の家はそこで飲み屋をやっていた。

酒の肴《さかな》は豚の内臓を味噌煮にしたものと、赤カブの漬物だけというちっぽけな店で、取りしきっていたのは母親の民子《たみこ》だった。

父親はほとんど家にいず、たまに帰ってきても母親と罵《ののし》りあいをするのが常で四、五日いたかと思うと、ぷいと家を出ていなくなった。だから治子はいまだに父親がどんな商売をやっていたのかを知らない。

母親の民子は酒好きで、治子の記憶のなかにある顔はぼさぼさ頭で愚痴をこぼす赤く染まった頬と、とろんとした両目だった。

その、とろんとした両目が大きく見開かれたことがあった。

「花巻《はなまき》さんとこの誕生日に誘われたんや」

と治子が勢いこんでいったときだ。

「花巻さんて、あの花巻医院のかい……」

「そうや。花巻医院の貴美《きみ》ちゃんや。今月の二十二日が誕生日やから家にこうへんかって今日学校で誘ってくれたんや」

母親の大きく見開かれた目に暗いものが走った。怯えに近いものだった。

「なんでお前を——」

「知らん」

と治子はぶっきらぼうにいい放ったが、ある程度の想像はできた。

憐れまれたのだ。

治子を誘う貴美子の目には確かに優しさがあふれていたが、それはすて犬を眺めるような恵まれた者のまなざしだった。しかし、それでもいいと治子は思った。貴美子と仲よくなりたかった。

花巻の家は由緒ある家柄で、代々医者を生業《なりわい》としていて貴美子の父親は町会議員も何期かつとめ、祖父は町長もやっていた。

貴美子もクラスのなかでは別格としてあつかわれ、いわゆる町の有力者たちの子供とグループを作って行動し、それ以外の子供たちとまじわることはなかった。

「やめとけ」と母親はいった。

「花巻さんとことうちでは身分が違う。うちは根っからの貧乏人やけど花巻さんとこは昔からの分限者《ぶげんしゃ》でお大尽《だいじん》や。格も身分も較べようがないほど違う……そんなとこへ行ったって何にも楽しいことあらへん。惨めな思いするだけや。あとで何いわれるかわからへんし、後ろ指さされるだけや」

肩を落として諭《さと》すように母親はいった。

「いやや、私は行く」

治子は一言ではねつけた。

いくら母親が説得しても治子はきかなかった。誕生会の直前まで険悪な状態がつづいたが、ようやく母親が折れた。久々に帰ってきた父親が、

「今の時代に身分違いもへったくれもあるかい。呼ばれたんなら大手を振って行ってこい」

けしかけるようなことをいったからだ。

母親の民子は治子に新しいセーターを買い与え、それから真剣な表情で、

「いいか、掛軸《かけじく》にはさわるな。壺や絵や置き物にも絶対手をふれたらいかん。花のいれたる花瓶も同じことや。廊下は絶対に走ったらあかんぞ。家のなかに入ったら、身をこごめて小《ち》いそうなっとるんや。わかったな治子」

睨みつけた。

「うん」と答えた治子は、ようやく母親の気持がおぼろげながら理解できたような気がした。体がぶるっと震えた。敵陣に乗りこむような気分になった。

誕生会の日、一間半幅の長い廊下を歩いて通されたのは二十畳ほどもある書院造りの部屋で、真中には分厚い絨毯《じゅうたん》が敷いてあった。床の間には墨絵の掛軸が下がり、段違いの棚には壺などの置き物が並んでいた。

『あれらには絶対にさわったらあかん』

そういい聞かせて遠慮気味に治子は絨毯の端に座った。すでに同じ学校の貴美子の友達が数人来ていてきちんと正座していた。

「治子さんでしたな。忙しいとこ本当にご苦労様ですなあ。何にも気がねせんと、今日はゆっくり遊んでってくださいな」

おっとりした口調で貴美子の母親がいい、

「ほんとによう来てくれたわ。来てくれへんかと思って心配しとったんやけどひと安心や。おいしいもん沢山食べて楽しんでな」

当の貴美子も笑顔で治子を迎えた。

誕生会はこの座敷の隣の暖炉のある洋間で行われた。

ちょうど昼食の少し前、大学生だという貴美子の兄のバイオリンの演奏がすんだあと、治子は便所に行きたくなった。長い廊下の突きあたりの端に便所はあった。治子の家の寝間ほどもある大きさで、洗面所の前面は鏡張りだった。

用を足してから、治子は大きな鏡に見いった。普段とは少し違う、新しいセーターをまとった、よそ行きの顔をした女の子が映っている。かわいかった。治子は鏡の前で様々なポーズをとった。鏡のなかの自分が別人のように綺麗に見えた。

無理なポーズをとってくるりと反転したときだ。手の先が何かにふれてカシャンと音を立てた。治子の顔が一瞬のうちに蒼白になった。洗面台の脇に置いてあった、真白な細身の花瓶が倒れて首が折れていた。さしてあった真赤なバラが治子を睨みつけていた。

ぼさぼさ頭の母親の顔が浮んだ。

目の前が真暗《まつくら》になった。いくらぐらいするものなのか見当もつかなかったが、高価なものに違いないと思った。払えるはずがない。治子はその場にしゃがみこんだ。下腹が重く沈みこみ気持が悪くなった。

しばらくして治子はのろのろと立ちあがった。ハンカチを出して花瓶からこぼれた水を丁寧にふいた。花瓶を手に取って半分ほど水をいれ、その上に折れた首をそっとのせた。指が震えているせいか、首はなかなか折れた部分に納まらなかったが、やらなければならない。上手に首をのせて知らぬ顔を通すのだ。それしか自分の生き残る道はないと、小学四年生の治子は思った。

ようやく首がのったときには目の奥が熱くなった。そろそろと花瓶の口にバラをさしこんだ。うまくいった。治子はあふれる涙を手でぬぐって「神様救《たす》けてください」と祈った。

「どうしたんや、えらい遅かったね」

部屋に戻ると心配そうに貴美子がいった。

すでに食事は始まり、テーブルの上は洋風の料理と和風の料理が一緒になって山のようにあふれていた。

「……ちょっと気分が悪うなって」

と細い声でいう治子に、

「そうか。そらあかんことですなあ」

貴美子の隣にいた母親がいい、テーブルの上を見回して箸と小皿を取り、

「寿司ならさっぱりしてて大丈夫かもしれんなあ……そうや、まず鮎寿司食べてもらわんと。うちの誕生会のしきたりですからな。足利将軍さんも食べてたし、江戸時代には将軍様の献上品にもなって鮎寿司運ぶ道をおすし街道と呼んで、そら大変なもんやったそうや。王侯貴族の食べ物やからな」

治子の手に取りわけた寿司の小皿をくれた。

「なれ寿司やから子供向きやないかもしれんけど、これはそんじょそこらの鮎寿司やない。特別製のやつやから、後々の語り草になると思うてな」

母親は川魚料理で有名な一流料亭の名前をいった。県下でも名の通ったこの町の老舗《しにせ》だった。

治子は鮎寿司を口に頬張った。塩焼は何度も食べていたが鮎寿司は初めてだった。恐怖心と後ろめたさで味などはほとんどわからなかった。

治子はこの事件を誰にも喋らなかった。

割れた花瓶がどんな展開を見せたかまったくわからなかったが、この後、貴美子が治子に声をかけることは一度もなかった。当時はばれたせいかと思っていたが、花瓶のことがなくても治子に声がかかることはなかったに違いない。あれはやはりいっときの憐れみなのだ。つづきなどあるはずがなかった。

この日から治子は向こう側には二度と近づくまいと心に誓った。分に合った生き方。あんな情けない思いは二度とごめんだったが、八坂の場合は別だった。

八坂は決して金持でも権力者でもない。自分と同じ、向こう側とは対極の位置にいるはずの人間だった。心のなかではそう考えていたものの、治子の体はあからさまに八坂を拒んだ。近づくなと警告した。恐怖心がいつのまにか八坂を向こう側に押しやってしまった。それが治子には情けなかった。小心で単なる臆病者、自分を許せない大きな重しになっていた。

冬ももう終りだというのに霙《みぞれ》に近い細い雨が降っていた。ガラス越しに見る外の景色は白っぽくけむって、一種の風情さえ感じさせたが実際にはかなり冷えているはずだ。

駐車場に傘をさした人影が見えた。あのホームレスの老人だ。急ぎ足で店のなかに入り、老人は真直ぐ食料品のコーナーへ向かった。無造作に弁当を抱え、治子の前にどさりと置いた。焼きそば弁当が六個だった。

「随分沢山なんですね、今日は」

治子が笑いかけると、

「マルが……もう駄目かもしれんから。ぐったりとして荒い息をはいて」

「…………」

「それで出歩くこともできんから、食料を買いだめしとこうと思ってな。あいつが食える状態になれば、すぐにやることもできるし……でももう駄目かもしれん」

咽につまった声を治子はあげた。マルの姿が浮んだ。

「多分な。尋常じゃあねえからな、あの様子は。だから、せめてずっとそばについていてやりてえんだよ。動物は死期を悟ると死に場所を探しにどっかへ行っちまうっていうけど、それじゃあんまり悲しいだろ。せめて死ぬ瞬間まであいつにつきそっててやりてえんだ。俺にはそれぐれえしかできねえからな」

皺だらけの顔を歪めて鼻をすすった。

一緒にカウンターに入っていた幹郎が、数枚のポリ袋を持って通路に飛び出した。手あたりしだいに商品を袋のなかにいれ出した。弁当、おにぎり、カップラーメン、スナック菓子、清涼飲料水、そしてドッグフードまで……すぐに袋は大きく膨れあがった。

「お見舞いです、気持です」

幹郎は焼きそば弁当も袋のなかにつめこんで老人に差し出した。

老人の目が幹郎を睨んだ。誇り高い目に見えた。ひょっとしたら老人は怒り出すのでは。そんな危惧《きぐ》が治子の胸に瞬間的に湧いて、すぐに消えた。

「ありがとう」

老人は深々と頭を下げて鼻をすすりあげた。

「早く帰ってやってください、マルのところへ。手遅れにならないように」

幹郎は真剣な声でいって老人を促した。

「駄目、なんですか」

「幹郎さん、あんなに沢山の弁当あげても賞味期限切れちゃって、結局食べられないことになるんじゃない」

いくつものポリ袋を持って、雨のなかを急ぎ足で帰っていく老人の背中を見つめながら治子はいった。

「いいんだ賞味期限なんて。傷んで食べられなくなったときが本当の賞味期限なんだから。そんなことは自分できめればいいことなんだ。マニュアル通りにやらなくても、自分で納得すればそれでいいんだ。何でもそうなんだ」

怒ったような調子で幹郎はいった。

その夜、治子がアパートの前まで来ると、ドアの脇に誰かがいるのが目に入った。どきりとした。八坂だ。小さなポリ袋を大事そうに抱えて、いかにも寒そうな格好で小刻みに体を震わせて立っていた。

「哲ちゃん」

と叫ぶように呼ぶと、八坂は治子に向かって薄い笑いを投げつけてきた。すぐに部屋のなかに招きいれてストーブに火をつけた。

熱いコーヒーをいれても八坂の震えは止まらなかった。芯から冷えきっているらしい。

「長野という人が来たわ。話は全部聞いたわ。大阪へ行っていたの」

とがめるようにいう治子に、

「はいっ」

と八坂はいつものように短く答えた。

「あの人のいったことは本当のことなの。鉄砲玉になって組に戻るという……」

「……本当です」

治子は急に腹が立ってくるのを感じた。頭がかっと熱くなった。

「莫迦ッ」となじった。それから急に声をひそめ、

「いつなの、いつやるの」

八坂の目が宙を泳いだ。焦点の定まらない視線をしばらく漂わせてから、

「今夜——」

とぽつんといった。

決行する前にあいつは必ず来る……長野のいった通りだった。八坂は別れをいいにきたのに違いない。死ぬ覚悟で治子の体を抱きにきたのだ。

いきなり治子の意識がぱしんと弾けた。八坂は寒さで震えているのではない。恐怖だ。死に対する恐怖に震えているのだ。

「哲ちゃん」

治子は八坂のそばににじりよった。

大きな体にかじりついた。八坂の体がぐらりと揺れ、治子の腕のなかに倒れこんだ。小さな震えはやがて大きなうねりとなって治子の体の芯を揺さぶった。あの強靭《きょうじん》な神経を持った八坂が腕のなかで震えている。子供のように震えている。

治子は八坂の背中をゆっくりとなでた。憤怒の不動明王が彫られた背中、気にならなかった。そんなことはもうどうでもいい。ただ八坂が愛しくてならなかった。治子は八坂の母親だった。

治子の脳裏にホームレスの老人とマルの姿が浮んだ。老人は死にかけているマルを必死の思いで看取っているはずだ。自分たちとそっくりだった。そう思ったとたん、治子は唐突にホームレスになってもいいと感じた。八坂と二人なら何にでもなれる。どこまで堕《お》ちても平気な気がした。

「哲ちゃん」

治子は八坂の首根をぎゅっと抱きしめ、それから不動明王をゆっくりなでた。幸せな気持だった。

八坂はやはり向こう側の人間ではなかった。一緒にいても卑屈になったり誇りを傷つけられたことなどは一度もない。恐怖心からきた逃避本能、勘違いが八坂を向こう側に押しやったのだ。と、考える治子の胸がふいに騒いだ。もしかしたら、向こう側に行ったのは八坂ではなく、実は自分のほうだったのでは……あれほど嫌悪していた向こう側に自分が。

治子は八坂にかじりついた。腹から下が熱かった。八坂が欲しかった。母親から生の女になっていた。

自分の部分が濡れきっているのを治子は感じた。したたり落ちるほど濡れていた。我慢できずに腰をよじった。とろりと流れた。八坂の耳許に口をよせた。

「してっ」

びっくりするほど大胆な言葉が出た。

八坂の上衣を脱がし、シャツのボタンを外した。すきまから青黒いものが覗いたがもう鳥肌は立たなかった。分厚い手をとってスカートのなかに導き、濡れた部分に押しあてた。治子の体に震えが走った。

「今夜は大丈夫なんだから」

八坂の唇を吸いながら呟いた。

「……二人で逃げよ」

はしゃいだようにいう治子の目に、八坂の顔がいやに悲しげに映った。なぜ、と疑問を抱きながら治子はさらに大胆な行動に出た。右手をズボンの上から八坂の股間に伸ばした。どきりとした。

手応えがなかった。八坂のものは小さく縮みこんだままだった。

八坂は死を前にした人間だった。その恐怖心がすべてを萎縮させ、体の機能を麻痺させているのだ。セックスなどできるはずのない精神状態だった。

治子は八坂のベルトを外し、ジッパーに手をかけてそろそろと引き下げた。ミノ虫のように小さく縮みこんだものが目に飛びこんできた。

しばらく見つめていた治子は八坂の股間に顔をうずめ、口にふくんだ。舌の上で転がして強くこすった。何の反応もなかった。まるで動こうとしなかった。

「治子さん……」

と八坂が低い声を出して首を振った。

治子の背中をぽんぽんと叩いた。

「今夜はできなくても、明日ならできるわ。鉄砲玉やめて二人でどこかに逃げれば元の状態に戻るわ」

叫ぶように喋る治子に、八坂は薄く笑ってゆっくり首を振った。顔は笑っていたが目は泣き出しそうな色を滲ませていた。

「やるつもりなの、鉄砲玉」

「やるつもりっす」

八坂ははっきり答えた。

「なぜ、なぜそんな莫迦なことしなきゃならないの」

治子は八坂を睨みつけた。体中が怒り狂っていた。

「約束しましたから。一度約束したら、やめることはできないっす。男とはそういうもんです」

八坂は座ったままシャツのボタンをかけ、ズボンのベルトをしめた。それからふうっと溜息をもらした。

治子の全身から力が抜けていた。腰が抜けたように下半身がだるく重かったが、あの部分がまだ濡れているのをはっきり感じた。自分の体が恨めしかった。そして、男とは何と訳のわからない生き物なんだろうとつくづく思った。

「哲ちゃんは私を抱きたくないの」

かすれた声でようやくいった。

「……抱きたいです。死ぬほど抱きたいです。今夜はそのつもりできました。無理にでもやるつもりだったっす。でも、こんなざまになって、真底情けない男だと自分であきれています……情けないっす」

「だったら」

という言葉を治子はのみこんだ。どんなに言葉を選んで投げつけても八坂を説得するのは無理だと思った。八坂の決心は女には理解できない常識外のもので固まっているような気がした。

八坂はゆっくりと上衣をはおった。

自分の顔を両手でばしっと殴った。気合をいれた。二度、三度と殴った。そのたびに八坂の顔は生気を取り戻していくようで、いつもの精悍さがみなぎった。眉の上の傷痕が電灯のあかりに白く浮いて見えた。

「お世話になりました」

睨みつけるように八坂はいった。

「帰ってくるの」

思わず口から飛び出した。

八坂は無言で大きな背中を向けた。

「帰ってくるの……」

再び治子はいった。語尾が震えた。

ドアの前でようやく八坂が振り返って治子を見た。泣き出しそうな顔だった。ドアが閉まって背中が消えた。

治子は放心状態で足を投げ出して壁にもたれかかっていた。どれほどの時間そうしていたのか。ふっと我にかえると、八坂の座っていたあたりにポリ袋が置いてあるのに気がついた。そういえば八坂は、来るときに大事そうにポリ袋を抱えていた。

のろのろと手を伸ばした。

なかを覗いてみると四角いものが入っている。取り出してみると折箱だった。治子の胸がざわっと鳴った。

鮎寿司だった。しかも治子の生れた町で作られたものだ。あの小学四年のとき、味もわからずに頬張った特別製の鮎寿司だ。そのときと同じ料亭の名前が包み紙には入っていた。

つまらない見栄でそのうまさを吹聴したとき、もう一度食べてみたいと治子は八坂にいった覚えがある。八坂は治子の生れた町へ行ってきたのだ。

体の奥から訳のわからないものがせりあがってきた。真赤な塊だった。熱いものだった。

「帰ってきてよお」

治子は叫んだ。

荒々しいものが突きあげた。鮎寿司の箱をわしづかみにして玄関に投げた。ドアにぶつかっていやな音がした。犬の鳴き声に似ていた。

「あっ」と治子は声をあげた。

マルが死んだ。そんな予感がした。

のろのろと起きあがって玄関に歩いた。つぶれた箱のなかに、砕け散った鮎寿司を丁寧にいれた。そっとつまんで口にふくんだ。咽の奥に流しこんだが、やはり味はわからなかった。

『帰ってきてよお』

胸のなかで何度も呟いた。

マルの姿が浮んだ。マルになりたいと思った。犬になりたかった。

治子は無意識のうちに「ワン」と鳴いた。

涙がとめどもなく流れてきた。

第三話　パントマイム

姿は見えるのだが声は聞こえない。

店の軒下にジュースの自動販売機と並んで小さなベンチが置いてあり、二人の年配の女性が座っていた。二人とも五十代なかばくらいで、腰をかけているのはベンチの両端だ。親しさは感じられないが、それでも時々言葉はかわしていた。

何を話しているかは店のレジカウンターのなかに立つ照代《てるよ》には聞こえないものの、内容の察しはついた。たぶん罵りあいだ。二人とも涼しい顔で言葉をかわしてはいるが、心のなかでは激しい闘いをくり広げているはずだ。

照代がこの小さなコンビニ、『ミユキマート』に勤め出してから五日が過ぎていたが、最初の日から二人は表のベンチにちょこんと座っていた。

「本妻さんと愛人さん」

この店に入るとき照代の面接をしたベテラン店員の治子は初日にこんなことをいい、

「愛人のほうが先に座り出して、それから二日あとに本妻のほうも同じように、ああして座るようになったの」

本妻と愛人。どういうことなのか見当もつかず照代が怪訝な表情を浮べると、

「……先月、この店の前で交通事故があって、お年寄りが一人なくなってね――」

近所から聞きこんできたという、その間のいきさつを交通事故の様子も交えて治子は照代に話してくれた。

四月の初めのちょうど雨の降る午後。ミユキマートの前の道で車にはねられたのは、近所のアパートで妻と二人暮しをしている六十五歳の老人だった。

よほど急いでいたらしく、ろくに左右の確認もしないで老人は店の前から向かいの歩道に小走りに飛び出して、資材運搬用の中型トラックにはねられた。即死に近い状態だった。右手の傘と左腕に大事に抱えられた紙袋が宙に舞った。袋のなかに入っていた化粧品が路上に散乱した。

「化粧品ですか!」

納得のいかない声をあげたのを照代ははっきり覚えている。

「そう、化粧品……化粧水とかクリームとかコンパクトとかルージュとか。そんなもの一式が紙袋のなかに入ってたの」

「どうしてそんなものを」

「パチンコの景品らしいんだけど、誰かにプレゼントするつもりだったようね」

「誰かって？」

「本妻か愛人のどちらか」

治子はぽつんとこういってから軽く頭を振った。

翌日の通夜の席に、どこからか事故のことを聞きつけた五十代なかばの女性が老人のアパートを訪れた。その女性は四年ほど前から老人とつきあいがあり、その日も自分のところに来る途中で事故にあったのだと本妻にいったそうだ。寝耳に水の状態で、呆気にとられる本妻を横目に強引に線香をあげてから、形見としてそのとき持っていた化粧品を何かひとつ分けてもらえないだろうかと懇願したという。化粧品は自分のために持って帰ろうとしたものだと。

「そんなことないわ。私も前から化粧品が欲しいと、主人にいってたのよ」

と本妻は愛人を名乗る女性を睨みつけ、有無をいわせずに外に追い出した。ものすごい迫力だったという。

「散乱した化粧品がよく残ってましたね。誰かがひろい集めたんでしょうか」

話を聞いていた照代が不思議そうな視線を治子に向けると、

「そう。雨のなかで化粧品をひろい集めたのは私……だってすぐ前で事故がおきたんだもの、びっくりして飛び出して。救急車が行ったあと路上を見ると化粧品が散らばってたから何となく使命感に燃えて、次の日に被害者のアパートまで届けてあげたの。ついでにいうと、通夜の晩、その愛人は老人のアパートへ行く前にこのコンビニに事故の様子を訊きにきている

——そのとき親類の人かなんかだと思いこんで、化粧品のことまでぺらぺら話してしまったのも私。よけいなお節介で罪つくりをしてしまって、どことなく胸のあたりがもやもやして後悔してるところ」

「そんなこと。治子さんは何も知らなかったんだから」

「私があのとき化粧品のことをいわなければ、あの女の人は通夜の席なんかに行かなかったかもしれない……おじいさんの最期の様子を聞いておとなしく自分のアパートに帰っていったような気がするわ……私の話を聞いて欲が出たんだと思う」

治子はそれだけ一気に喋り、

「店の前の道を左に行けば本妻のアパート。右に行ったところが愛人のアパート……」

目顔で前の道路をさして溜息をもらした。

最初に愛人がベンチに座ったのは十日ほど前のことだった。

手にした仏花をそっと道路の脇に置き、遠慮がちにベンチの端にひっそりと腰をおろした。

気になった治子が外に出ると、その女性は事故の様子を聞いたときの礼をのべてから、

「あとわずかしかありませんが、四十九日が来るまであの人が死んだここに座ろうと思って……突然そんなことを思いついて来させてもらいました。それぐらいの供養しか私にはできませんから、ご迷惑とは思いますがお願いします」

頭をていねいに下げて、こんなことをいったという。

どこかで噂でも聞きこんだのだろう。本妻が現れたのはそれから二日後で同じようにベン

チの端にどっしりと座りこんでしまった。時間は事故のおきた午後三時頃の前後一時間ほど、奇妙な供養が始まった。

最初のうちは知らぬ顔で通していた二人だったが、四日目を過ぎたあたりから事情が変った。話をするようになった。先に声をかけたのは愛人のほうだ。むろん和気藹々《わきあいあい》というわけにはいかず、二人とも真直ぐ前を向いたままの散発的な会話だったが近頃は数も増えている。視線もちらりと互いを見るようになった。

四十九日まであと四日、二人の行動はいつのまにかこの付近の話題になり、道行く人も好奇の視線を投げかけるようになった。

「相かわらずみたいね」

所在なげにカウンターのなかに立っている照代に、倉庫《バックルーム》で在庫商品の確認をしていた治子が戻ってきて声をかけてきた。視線は表の二人に注がれている。

「意地の張り合いですね」

呆れ声を出す照代に、

「それもあるだろうけど」

と乾いた調子の男の声が聞こえた。

治子のあとからバックルームを出てきた、ミユキマートのオーナーの幹郎だ。

「それだけじゃなしに、憎しみや愛情や淋しさや嫉妬や……そういったありとあらゆる感情があそこには渦まいていると思うよ。私にしたら羨しい限りだけど、ただ相手が死んでしまって、いないというのがどうにも虚しくてやりきれないね。人間ってやつはいつまでいろんなものを引きずって歩けば気がすむんだろうね」

最後は自分にいいきかすような口調だった。

以前治子が何気なくもらしたところによれば、幹郎も一人息子と奥さんを相ついで交通事故でなくしているという。しかも幼い子供のほうはこの店の前で事故にあったと聞いている。そのせいなのだろう、幹郎の雰囲気はひどく暗かった。しかし冷たい暗さではない、温かい暗さだった。訪れる客に不安感を与えない不思議な暗さだった。

治子にしても同じような雰囲気を持っていると照代は思う。人には容易に見せない体の奥まった部分に、べったりと暗い影のようなものが張りついている気がしてならない。しかし他人には決して不快感は与えない。今の照代にしたら、二人の持つそんな奇妙な雰囲気は大きな救いになっている。傷ついた心の襞《ひだ》を、どことなく慰撫してくれるように感じるから不思議だ。

「本妻と愛人を持っていたという、その男の人ってどんな人なんですか」

照代は治子と幹郎の顔を交互に見た。

「ごくごく普通の何てこともないおじいさん。いい男でも何でもなくて、おまけにチビでハゲ」

治子の顔がようやくほころんだ。

「酒好きだったしなあ。うちにもよく、お買得の焼酎の大ビンを買いに来てたな。とても愛人がいるようには見えないじいさんだったけど」

幹郎の言葉にかぶせるように、

「どちらに贈るつもりだったんだろ」

照代は独り言のようにいってから、

「持っていた化粧品ですよ。本妻なのか、それとも愛人のほうなのか」

「理屈からいけば愛人のほうだろうけど、四年もつきあってたとなると本妻と似たようなものだろうし。わからないなあ」

腕を組んで幹郎は首を振った。

「両方ですよ」

治子が低い声でいった。

「化粧水や乳液やクリームなんかはひとつずつだったけど、ルージュは同じものが二本あったもの。だから、どちらかには化粧品のフルセット、どちらかにはルージュ一本」

「単品とセットか……」

と幹郎はいつもの乾いた声でいって二人のそばからゆっくり離れ、ドアを開けて外に出ていった。五月の爽やかすぎるほどの陽の光がガラスにきらりと反射した。

幹郎はベンチの前に行き、二人の女性の前に立って何か声をかけている。女性たちも気まずい空気からやっと逃れることができたように、消極的ながら身ぶり手ぶりを交えて幹郎に答えている。

何を喋っているのかわからないが、幹郎が道路を指さして大きく頭を振った。それにつられて二人の女性も大きく顎を引いてうなずいた。そして三人で真青《まっさお》な空を見あげた。

パントマイムのようだと照代は思った。

似たような光景をどこかで見たことがあると考えてみて、すぐに厚志《あつし》と一緒に暮していた小さなアパートが頭に浮んだ。窓に面して置いてあるのは古ぼけた文机《ふづくえ》だ。この机の前で厚志は肩を怒らせるような格好をして、毎日公募に出すためのシナリオを書いていた。

そんなとき照代はテレビの音量を絞り、声のない画面を見るともなしに眺めるのだ。イヤホーンを購入すれば音を聞くことはできるが、照代はそれをしなかった。音の出ないテレビと肩を怒らせているような厚志の後ろ姿、この光景が好きだった。

それに音声のないテレビというのも結構面白かった。

役者の演技も歌手の顔も余分な飾りがない分、真実味が感じられ、本音の部分が透けるような気がした。

通《つう》の見方。ひそかに照代はそんな優越感を抱きながら無音の部屋でテレビの画面と厚志の背中を見つめつづけた。

その厚志と離婚したのがひと月ほど前のことだった。よけいな穿鑿《せんさく》をされるのが嫌で勤めていた会社も辞めてアパートも変わった。一緒に暮し始めてから三度目の春、厚志より一つ年下の照代は二十七歳になっていた。

シナリオライダー。結婚する前につけられていた厚志の渾名《あだな》のようなものだ。あの当時、厚志はバイク便に乗っていて照代が事務をしていたちっぽけな建築設計の事務所によく顔を出していた。

工事現場で急遽《きゅうきょ》必要になった資材のサンプルやカラーの見本帳、どうしても顧客に直接手渡さなければならない書類や見積書……頻繁というほどではなかったけれど需要はまあまああった。

週に二、三度、バイク便の会社から派遣されてくる厚志の応対をするのは照代の役目だった。

「バイク便は単なるアルバイト。俺シナリオの勉強してるんだ。まとまった金がたまったらアパートにこもって、シナリオを書いていろんなテレビ局の公募に出してるんだ。金がなくなったらまたバイト。そのくり返しの毎日」

少し親しくなったころ、厚志はこんなことをいって恥ずかしそうに胸を張った。どの会社に行っても同じことをいっているのだろう。俺はこのままでは終らない人間なんだという気負いのようなものが口調には感じられたが、決していやみではなかった。

「だから将来は売れっこのシナリオライター」

おどけた顔はしているものの、目の奥には真剣な光があふれていた。眩しいほどだった。

「じゃあ、さしずめ今はシナリオライダーだな。頑張れよ」

と大きな声をかけたのは、その場を通りかかった所長の前野《まえの》だった。

それからしばらくして照代は厚志に食事に誘われた。どうしようかと迷ったすえ、行くことにきめたのは厚志の目の奥にあふれていた眩しいほどの真剣な光のせいだ。むしろ厚志には連れていかれたのは汚い居酒屋だったが不思議に失望感はおきなかった。似合いの店だと思った。

串焼を肴にビールを飲みながら厚志は自分の夢を熱っぽく照代に語った。酒を飲むピッチが異常に速かった。照れていたのかもしれない。中学生のころに見たテレビドラマに感動して漠然とシナリオライターへの夢を膨らませたと厚志はいった。

どんなドラマと訊く照代に、

「照代さんもたぶん知ってると思うけど、北海道を舞台にした『北の国から』っていう人気ドラマ。それを見て大泣きしちゃって、シナリオってつくづくすごいなあと子供ながらに憧れたんだ」

そういってから、厚志はそのドラマに父親役で出演していた役者のものまねのつもりなのか、目尻を下げて口を尖らせ、

「飲んでよ、もっと飲んでよ、どんどん飲んでよ、ぐっと飲んでよ」

と照代に酒をすすめたりした。

「だけどそんな夢みたいなことばかり考えてるわけにもいかないし、結局無難に都内の私大の経済学部に入ったんだけど、どうにも気持がおさまらなくて二年で中退。それから一年ほどシナリオライターの養成講座に通ったりして、今はプータローやりながら各テレビ局の公

募にチャレンジしてる。ついでにいうと勘当同然でここ数年は家には帰っていない」

一気にいって厚志はふうっと大きな吐息をもらした。酔っているのか顔が赤かった。

厚志の話をききながら照代は羨しさを覚えた。照代自身にはこれといって大きな夢などはなかった。しいていえば、仲の悪かった両親のもとを出て早く一人暮しをしたいということぐらいだったが、これは高校を出て今の会社に就職した時点で強引に叶えている。あとは照代が育った境遇とはまったく逆の温かい家庭を作って……。

別れ際、厚志は肩にかけていたバッグから分厚い紙の束を取り出して照代の前に捧げるようにして差し出した。原稿用紙だ。

「俺の最新作。よかったら読んでください。いえ、絶対読んでください。感想聞かせてください」

必死の面持ちで照代を見た。目の奥に迷子になった子供のような怯えた光があった。

照代は本を読むのが嫌いではなかったが、シナリオは初めてだった。読みたいという好奇心が湧いた。しかも身近な人間の書いた生原稿なのだ。思わず手を出していた。

「ありがとうございます」

と厚志はぺこりと頭を下げ、

「俺、貧乏でワープロないから、手書きで読みづらいかもしれないけれど」

もうしわけなさそうな声をあげた。

その夜、アパートに帰った照代は早速預かった原稿用紙を広げてみた。割にきれいな字だった。一枚目に『虹の梯子《はしご》』という題名と森《もり》厚志の文字が遠慮がちに書いてあった。

甘い内容だった。東京と札幌に離れ離れになった恋人たちの遠距離恋愛の物語で、さまざまな誘惑や困難や挫折につきあたりながらも、最後はめでたく結ばれるというラブストーリーだった。

甘い内容だったが読後感は爽やかだった。ほっとするものを覚えて心がほのぼのと温かくなった。厚志の人柄である優しい性格がそのままストーリーに反映されていると思った……が、あとほんの少しの毒か棘《とげ》が加われればもっと物語が引きしまって奥行きが出るような気もした。

表記に一箇所間違いがあった。ひょっとしたら故意なのかもしれなかったが。

物語の最終場面で、恋人たちが思い出を確認するために嵐のなかで鉄塔によじ登るシーンがあったが、そのときの会話のなかで男が呼ぶ女の名前が間違っていた。

「ねえ怖くないの。落ちたら死ぬのよ。あんな上までいかなくても二人の気持が変らなければいいじゃないの」

と叫ぶ女に男が答える場面で、

「怖くなんてないさ。照代と一緒ならぼくはどこまで落ちたって平気だ。たとえ死んだとしても本望だ。照代と一緒に死ねるなら嬉しいとさえ思うよ」

女の名前が照代になっていた。

わざとらしいなと感じたが嫌ではなかった。もし本当に無意識のうちに間違えたのならもっと嬉しかった。

それから三日後、工務店に届ける急ぎの書類ができて厚志は照代の会社にやってきた。心配そうな顔だった。シナリオの感想が相当気になっている様子だった。会社に入るなりちらりと照代の顔に不安気な目を走らせた。

まずは打ち合わせだ。照代はことさら事務的な口調で厚志に指示を出す。こわばりを増す厚志の顔を覗くように見ながら照代は一種の幸福感につつまれていた。

指示を終えてから小声でいってやる。

「作品、とても面白かった。才能はあると思う。頑張れば夢は叶うんじゃないかな」

一瞬のうちに厚志の表情が変った。目許が一気に崩れて顔中が笑みになった。くしゃみをしたような顔だ。こんなにしまりのない嬉しさのあふれ返る顔を見たのは初めてだった。

「ありがとうございます」

直立不動でぺこりと最敬礼する厚志の姿を見ながら、照代の胸も熱くなっていた。

『この人をシナリオライターにさせてやりたい』

そんな思いが胸の奥にたぎった。

それから二人は急速に親しくなり、三カ月あとには照代のアパートに厚志が転がりこんできて一緒に暮しはじめていた。

「厚志、あなたはもうアルバイトになんか行かなくていい。働くのは私の役目、あなたは家で好きなだけシナリオを書けばいい」

このとき照代はこんなことをいった。

ほんの少し、呆気にとられた表情を厚志は浮べてから、

「……恩にきるよ。本当いうと俺、働くの苦手なんだ。生来のなまけものなのかもしれないけど、できれば一日中、作品を書きつづけられる生活がしたかったんだ」

照代にしたってびっくりするほどの高給をとっているわけではなかったが、贅沢さえしなければ、何とか大人二人が食べていけるだけのものはあった。

最初のうちは照代の言葉に従って机の前にかじりついていた厚志だったが、同棲して三カ月ほど過ぎたあたりから、アルバイトをどこからか見つけてきて月のうちの十日ほどは働きに出るようになった。

「そんなことするひまがあったら、公募に入選するようないいシナリオを書いてよ」

と、口を尖らせる照代に、

「息ぬきになるんだ。これぐらいは外に出たほうが頭のためにもなるし、いいアイデアだって湧いてくるんだ」

働くのが嫌いな厚志も多少のアルバイトはやりたいらしい。ようするにきちんと就職して真面目に働くのが苦手な性分なのだ。

厚志はアルバイトで稼いできた金はすべて照代に渡した。多くはなかったがそれでも助けになったのは確かだった。そんな家計のなかから照代は厚志に小遣いを与え、たまには飲み代も与えた。

意外なことに厚志は家事が得意だった。

同棲をはじめてからすぐ、照代がアパートに帰ると小さな台所で厚志が肉を焼いていた。特売で買った安い牛肉だったけれど食べてみるとけっこうおいしかった。

「ねえ、どんな作り方したの」

怪訝な表情を浮べる照代に、

「ワインに漬けこむのがミソ。あとはいろんなスパイスで味を調《ととの》えてから調味料で仕上げるのがコツ」

とガスコンロを目顔でさした。その脇には、いつのまに買ってきたのか十種類ほどの様々なスパイスの小瓶が並んでいた。

「俺、飲み屋やスナックでよくアルバイトしてたから、中途半端な料理は得意なんだ」

「中途半端って？」

「そこそこいける料理。特別うまくはないけど文句が出ない程度の。そのかわり本格的な料理はまるでわからない。まあ簡単にいえばごまかし料理だな。その証拠にどういうわけか時間がたって冷めてしまうと極端にまずくなっちゃう。それが本格とごまかしの差」

冗談っぽくいうが厚志の作る料理はけっこういい味が出ていた。しかも早い。もたもたしない分だけ切れがいいのかもしれない。

「あのさあ」

と厚志は料理を作った最初の夜、かすれたような声を出して照代の顔を覗きこんだ。

「家事は俺がやるから。炊事とか洗濯とか掃除とか……照代は一日中働いてて大変だし、俺はどうせぶらぶらしてるようなもんだから、それぐらいやらないとバチ当っちゃう」

「そんなこと……」

といって照代は絶句した。

「俺、そういうの嫌いじゃないから。苦にならないから。スーパーや八百屋に行くのも好きだし、安いものを探すのも、値切って買うのも好きだし、ひょっとしたら俺、前世で女だったのかもしれないな」

体中でシナを作っておどけてみせた。

「女だったなんて、変なこといわないでよ、気色悪い」

ちょっとすねたのは女としての誇りを何となく傷つけられた気がしたからだ。しかし仕事から帰って食事を作るのが大変なことはわかりきっていたし、料理の味が厚志のほうがいいのも確かだった。

「厚志の好きなようにして」

照代の硬い声をふわりとつつみこむように、

「ごめんね、俺って変な男だから。いろんな分野にちょっかい出すの好きだから」

厚志は思いきり情けない顔をしてから、人形のように頭をぺこりと下げた。

優しい男だった。その優しさが、シナリオを書くうえでの最大の欠点になっているのだとも照代は思った。

役割分担がきまった次の日から家事一切は厚志の仕事になった。

体は楽になったものの、何となく治まらない思いが胸の奥でくすぶっているのをもてあました照代は数日あと、

「今夜はビーフストロガノフが食べたいな」

注文をつけてやった。

「えっ、それどこの国のどんな料理――」

初耳らしく、素頓狂《すっとんきょう》な声をあげる厚志に、

「肉料理だけどどこの国だったかな、よく知らないけど」

ロシア料理なのはわかっていたがとぼけてアパートを出た。

仕事が終るのが楽しみだった。中途半端な料理しかできないといっていた厚志が、名前も味も知らない料理にどうチャレンジするのか。それともひと思いに諦めてテーブルの上には別の料理が並んでいるのか。

が、アパートに帰ると注文通りの料理がテーブルに並んでいた。ボルシチのスープと温野菜もそえてある。

食べてみると憎らしいほどおいしかった。

「……どんなふうに作ったの」

「大変だったんだから。図書館へ行って調べてみて、それだけでは心配だったから何軒かロシア料理のレストランに電話して訊いてみたんだけど、忙しそうでなかなか相手にしてくれ

なくて喧嘩になりそうになったりして」

厚志は大袈裟に肩をすくめてみせてから、

「で、味はどう」

本気で心配そうな表情をした。

「……おいしいよ」

厚志が歓声をあげた。

この人は私の望むことは何でもしてくれる。どんな意地悪な要望でもきいてくれる。理由はわかっているけれど……そのわかりきった答えを厚志の口から聞いてみたかった。

「ねえ、私が好き?」

怒ったような声でいった。

「好きにきまってるじゃないか」

すぐに待っていた答えが返ってきた。

「どのぐらい」

「一緒に死んでもいいぐらいかな」

照代は肉を一きれ頬張ってから、

「ふうん」と鼻声を出した。

肉汁が口一杯に広がった。幸せだと思った。厚志となら一緒になってもいいような気がした。甲斐性はなさそうだけど、それなら一生自分が面倒をみてもいいとさえ思った。好きあってる気持を二人の心以外の何かで証明したかった。

厚志は家事一切を楽しそうにこなした。

小さな台所は照代が使っていたときよりも整理整頓がなされ、ステンレスの流し台はいつもぴかぴかの状態だった。部屋のなかもこざっぱりと片づいて毎日の掃除もゆきとどいていた。

「それだけの一生懸命さがあれば、どこに勤めたって立派にやっていけるのに」

と台所に立つ厚志に照代は声をかけたことがある。

「朝がきて毎日出かけなきゃならないというのが駄目なんだ。きまりきった仕事をするのもいやだし、集団行動するのも苦手だし、時間に縛られるのも……ふらふらと自由でいたいんだ」

「じゃあ、今は自由なの。縛られてないの」

「縛られてないさ。命令されてやってるわけじゃないから、好きでやってるんだから」

厚志は屈託のない声をあげた。

六畳間の東側に面した唯一の窓際が、厚志の仕事場だった。古道具屋で見つけたという小さな文机の前に座り、一日何時間も原稿用紙に向かってシャープペンシルを走らせている。後ろから見ると、肩を怒らせているように背中が尖っていた。あるいは何かに対して本当に怒っていたのかもしれない。無防備な背中に見えた。

家事をして作品を書いて……それに倦《う》むと厚志はふらりとバイトに出た。適当な働き口が見つかればそちらに行き、運悪く見つからないときは、昔からの顔なじみであるバイク便の会社に行って使ってもらった。

「ちわっ、シナリオライダーです」

出前持ちのような声を出して照代の会社を訪れる。

最初はこの声を聞くと赤面するほど恥ずかしかったが、じきに慣れた。厚志と同棲していることは会社の人間はみんな知っている。恥ずかしがっていればよけいに面白がってはやしたてられるだけだ。

「おうい、いつシナリオライダーから濁点がとれるんだ」

所長の前野は厚志を見るといつもこういってからかう。

「はい、年内にはなんとか都合をつけて……どうしてもだめなときは、バイクの後ろに自作の紙芝居をつんで子供たちに見せてまわる、本物のシナリオライダーになりますから」

厚志と前野は気が合うのか、こんなふざけた話のやりとりをしょっちゅうしていた。

年内と大口を叩いていた厚志だったが、実際はそれほど甘くはない。同棲を始めてから数度都内のテレビ局の公募に出してみたがすべて落ちた。予選さえ一本も通過しなかった。

「十年計画で頑張ろ。男なんて三十歳過ぎなきゃ一人前じゃないんだから。これから本物の人生経験つんで、それをコヤシにしていいもの書けばいいんだから」

落ちこむ厚志に小遣いを持たせ、とことん飲んできたらと、照代はドアの外に背中を何度も押し出した。

落ちてからしばらく厚志はものの役に立たない。大抵は終日ごろごろと部屋のなかで寝転がって過ごした。たまに机に向かっても、後ろから見ると肩が丸くなって尖っていなかった。

同棲を始めてから一年ほどあと、もともと不順だった生理が近頃それ以上に不規則なのに照代は気がついた。避妊はしっかりしているつもりだったが、市販されている妊娠検査薬で調べてみると陽性の反応が出た。慌てて産婦人科に行くと妊娠三カ月目に入っていた。

迷った。堕ろしたくはなかったが、産めば生活の基盤がすべて厚志の肩にかかることになる。むろんシナリオなど書いているひまはなくなるだろう。それだけは避けたかった。厚志にシナリオライターになってほしかった。それに厚志とは同棲しているだけで、正式な結婚もしていない。宙ぶらりんの状態だった。思い悩んだすえ、照代は一人で産婦人科に行って堕ろすことにきめた。堕ろすのは自分の義務だと思った。

その日、会社を早退して産婦人科に行き、堕胎手術をうけてからアパートに帰ると厚志はいつものように文机に向かってせっせとシャーペンを走らせていた。

「お帰り」

といって振り返り、

「ごはん食べる、それとも風呂にする」

まるでベテラン主婦のようないつものセリフにほんの少し心が和んだが、体のほうがいうことをきかなかった。あの部分に熱がこもって疼いていた。下半身がだるく吐き気がした。

倒れこむように無言で部屋に入る照代に、

「病気なのか、どこか悪いのか」

「病気じゃないから心配しないで」

微笑もうとしたが頰が引きつった。

病気ではない。病気ではないが照代は数時間前には手術台の上に乗り、大きく肢《あし》を拡げて一人の命を闇に葬ってきたのだ。病気ではないけれど……それでは何だろうと考えてみて、ふいに犯罪という言葉につきあたった。自分は罪を犯してきたのだ。誰のためなのかはわからなかったけれど。

「赤ちゃんできちゃった。堕ろしてきちゃった。割に簡単だった」

思いきり微笑んでみせた。

いわないつもりだった。子供を堕ろすのはすべて自分の責任で黙っているつもりだったが、厚志の顔を見たとたん何かが音をたててはずれた。共犯者になってほしかった。隠しておくには辛すぎた。

「………」

「女の子だったんだよ」

照代はまた笑った。

手術が終ったあと、肢を拡げたまま照代は医師に男の子ですか、女の子ですかと訊いてみたのだが、知らないほうがいいからと教えてもらえなかった。何度訊いても駄目だった。自分の殺した子供の性別ぐらいは知りたかった。

「教えてよう、教えてよう」

照代は手術台の上で叫んでいた。

「女の子だったんだよ」

照代は厚志にもう一度いって今度は目を潤ませた。

「……ごめん。辛い思いさせちゃって」

両方の目が睨みつけるように照代を見ていた。いやに輝いている目だなと思った瞬間、見る見るうちに厚志の目は潤みはじめた。

「ごめんよ、ごめんよ」

呟くようにいって厚志は大粒の涙をぽろぽろとこぼして鼻をすすりあげた。子供のように泣き出した。大人の男がしゃくりあげながら泣くのを照代は初めて見た。妙に感動的な光景だった。

その夜、二人は抱きあったまま寝床に入った。厚志の体からは湿ったにおいがした。湿ったにおいのする手で厚志は照代の背中をなでつづけた。

「……ちゃんと結婚しようか俺たち」

しばらくしてからぽつんといった。

「俺、甲斐性ないけど。それでも照代がいいっていうのなら」

動いていた手が背中の気配を探りとろうとするように止まっていた。

「うん」

一呼吸おいてから照代は呟いた。

子供の命日が婚約記念日になった。一生忘れてはならない日だった。

三日後に籍を入れたが、結婚式はもう少しあとにしようということになった。一段落ついたら。何が一段落なのかはわからなかったが……いちばんいいのは厚志のシナリオが認められることだったが、これぱかりは何ともいえない。とにかく様々な意味で一段落ついたらということになり、二人ともそれまでは実家には知らせないでおこうということになった。

婚姻届の保証人には所長の前野になってもらった。

「そうか結婚するのか」

結婚式はあげないという照代の言葉に仲人マニアの前野はいかにも残念そうな表情を浮べ、

「しかし、そうなると早くちゃんとしたシナリオライターになってもらうか、それともいっそ諦めて定職についてもらうかだな。男としての責任を持ってもらわないとな」

心配そうな口調でいった。

「大丈夫です。あの人は必ずシナリオライターになります。私がきっとしてみせます。だから、それまでは私ここに居つづけますから。その点よろしく」

照代は思いきり頭を下げた。

婚姻届を出しても二人の生活に変りは何もなかったが、それでも照代はどことなく気分が浮き立つのを感じていた。二人の気持以外に、二人の思いを証明してくれる具体的なもの……心の真中にずしんと響く確かな手応えがあった。照代は厚志が好きで好きでたまらなかった。

厚志のシナリオはどこのテレビ局に投稿しても落選をつづけた。かすりもしなかった。それでも厚志は黙々と原稿用紙のマス目を埋める作業に没頭した。

「ねえ、いい人ばかりを主人公にしないで、もう少し毒とか棘のある人をメインに置いたらどうかしら。そうすればドラマに奥行きが出て人間的なストーリーになるんじゃないの」

ずっと思いつづけてきたことをいったのは、婚姻届を出してから四カ月ほど過ぎたころだった。

「毒とか棘……」

低い声で呟いてから厚志はじっと照代の顔を見た。すぐに、

「そんなものは俺の作品に似合わない。俺の持ち味はあくまでも爽やかさなんだ。テレビドラマは不特定多数の人が楽しみながら見る純然たる娯楽なんだから、文学や映画とは根本的に違うんだ。面白くて爽やかでなければいけないんだ」

一気にいった。強い口調だった。

照代は驚いて厚志を見た。初めてだった。厚志が逆らったのは。いつも柔順で優しいだけの厚志がこんな激しい一面を持っていたとは。驚いたというより新しいものを発見した新鮮さのほうが強かった。

「ごめん」

と照代は慌てていい、

「素人がよけいな口出しして悪かったわ。もちろん、作品は厚志の思い通りに書けばいい。まだまだ若いんだから時間はたっぷりあるもの。時代が悪いのかもしれないし、ただ単に運がないだけかもしれない。地道にやってれば必ず追い風は吹くから大丈夫よ」

泣き笑いの表情を浮べた。

そんな照代を無視して厚志はふいと立ちあがり、

「ちょっと出てくる」

一生懸命書いているときのように肩を怒らせて玄関に出てドアを開けた。

あっ、と照代は胸のなかで声をあげてみたものの、どうしようもなかった。たぶん酒でも飲みにいったのだろうけど、ちゃんと金を持っているかどうか心配だった。

その夜、厚志は夜中にぐでんぐでんに酔っぱらって帰ってきた。倒れこむように玄関に座りこむ厚志を照代はパジャマに着がえさせて寝床のなかに横たえた。布団《ふとん》をかけながら、こんな厚志の世話をするのは初めてなのに気がついた。甲斐性はなかったけれど手のかからない男だった。

次の日、厚志は朝一番で、

「ごめん」

といって照れ笑いを顔一杯に浮べた。何だか私たち二人はあやまってばかりいると照代は思った。

それで一件落着したものの、それから厚志はちょくちょく夜になると飲みに出るようになった。安い店ばかりらしく家計にはそれほど影響はなかったが、そのたびに厚志は「ごめん」といって困った表情で照れ笑いを浮べた。


あれは予兆だったのだろうか。

厚志が離婚話を切り出す少し前に、

「俺、本物のシナリオライダーになろうかな」

と真顔でいったことがある。

「えっ」

と声をあげる照代の胸に、紙芝居の箱をバイクの後ろにつけて走り回る厚志の姿が浮んだ。

「本気じゃないでしょ、冗談でしょ」

「半分、本気」

弱々しい声で厚志は答えた。

「じゃあ、シナリオライターは諦めるっていうの」

「諦めるっていうより、俺、本当は才能がないんじゃないかって思うようになって。実現不可能な夢を追ってるんじゃないかって」

初めて聞く弱気な厚志の言葉だった。

数日前に今度こそはと自信を持って投稿した作品の予選発表があり、結局そこにも名前がなくて落ちこんでいる最中でもあった。

「前にもいったけど」

と照代は口に出してから慎重に言葉を選んで、

「私は充分に厚志は才能があると思うけど、作品の内容が爽やかすぎるような気がするのも確か。こんな一筋縄ではいかない時代だもの。爽やかさにもうひとつ毒のようなものをプラスすればかなりいい作品ができるんじゃないかな……自分がいい人だからって、そんな人間ばかり作品の中に登場させる必要はないと思うわ」

「そうだな、そうかもしれないな」

反論するかと身構えていたら意外にも厚志はあっさりと肯定した。それから、

「俺っていい人かな」

ぽつんといった。

「いい人よ。甲斐性なしだけど……思いやりがあって優しくって。でもそれが作品を書くうえでの欠点になってる」

いい終えて照代は突然、胸が熱くなった。

「俺っていい人じゃないかもしれない」

厚志がまたぽつんといった。そしてそれっきり黙りこんだ。

この数日あとだ。会社に出かけようと玄関に出た照代に、

「今夜ちょっと話があるから」

厚志はいつになく真面目な口調でいった。

「話って?」

「うん、ちょっと……ごめん」

そういって背中を向ける厚志の後ろ姿を見ながら、何の脈絡もなしに照代の脳裏に別れ話、という言葉が浮んだ。根拠はなかった。

一日中落ちつかなかった。残業はなかったがそんな予感がしたのは確かだった。

帰ったのは十時近くだった。

「お帰り。遅かったね」

といってから、食事はと訊く厚志に、

「ごめん、すませてきた」

本当は食べてなかったが、何となく胸が騒いで食欲がなかった。

「じゃあ果物でも食べる? リンゴがあるけど」

軽く頭を振ると、

「俺は食べよう」

厚志は冷蔵庫からリンゴを出してきてテーブルの上にそっと置き、照代の来るのを待つようにその前に座りこんだ。

のろのろと着がえをすませ、

「話って何」

照代はすとんとテーブルの前に腰を落とした。

胸のポケットから厚志は薄い紙を取り出してテーブルの上に置いた。離婚届だ。すでに厚志のほうは署名捺印はすませてあった。照代の胸がぎりっと鳴った。

「別れよう」

押し殺した声を厚志はあげた。

「なぜ――」

ようやく照代は言葉を押し出した。

「俺、シナリオの才能がないのに近頃やっと気がついたんだ。俺なんかいくら書いても入選するはずがないって……そんな男と一緒にいても苦労するだけで、照代だって何もいいことはないはずだ。早いとこ、こんな生活に見切りをつけて新しい人生を始めたほうがいいにきまってる」

「苦労なんかしてないわ」

怒鳴るように照代は叫んだ。

「私は厚志が好きだから一緒にいるだけで、何も苦労なんかしてない……それに才能がないって思うんなら普通の仕事をすればいい。何も別れる必要なんてないはずよ」

「前にもいったけど、俺はぐうたらだから普通の仕事なんてできない」

「じゃあ、アルバイトでも何でも適当にやってくれればいい。厚志の面倒は一生私が見るわ」

厚志の両目が照代を見ていた。普段とは違う暗い目に見えた。どこかがおかしかった。

「何か他の理由があるんじゃないの」

思わず声を荒らげた。

「……好きな女ができた」

しばらくしてからぽつんと厚志はいった。

耳を疑った。そんなことがあるはずがない。

「嘘よ、厚志の好きなのは私よ」

夢中で首を振りつづける照代の前に、厚志はポケットからマッチの箱を取り出してそっと置いた。スナックのマッチだった。店の名前は『銀木犀《ぎんもくせい》』、場所は隣町の繁華街になっていた。厚志はこの店へ飲みに通っていたのだ。

「その店のママで章子《あきこ》っていうんだ。年は俺と同じで二十八歳。ちゃらんぽらんな性格だけど、かわいい女なんだ」

「嘘よ！」

と照代はまた叫んだ。

「厚志の好きなのは私よ、一緒になってから私は厚志のやりたいようにやらせてきたし、私もそれで満足してきた。厚志といちばん合うのは私で、そんな女なんかじゃない。厚志を理解できるのは私しかいない」

「そう。照代は俺の好きなようにやらせてくれた。一言の文句もいわずに俺にシナリオを書かせてくれた。よくできた女房だといつも感謝してた……でもそこなんだ。ときには文句もいってほしかったし、罵ってもほしかった。重荷だったんだ、できすぎた女房は。勝手ない分かもしれないけど心が萎《な》えてしまうんだ。だからいつも胸の奥に渦まいているのは、ごめん、ごめん、ごめん……そんな言葉ばかりで息を抜くこともできなかった」

勝手ないい分だと思った。しかし、

「わかった。これからは厚志のいうように厳しくするから。だから、その女と別れて。私たちの生活を大切にして」

必死の思いで見つめる照代の目から逃れるように厚志は立ちあがって台所に行き、果物ナイフを持って戻ってきた。テーブルの上のリンゴに手を伸ばして皮をむき出した。

「リンゴって女の体に似ていると思わないか」

器用にナイフを使って薄く皮をむきながらこんなことをいい出した。

「こうやって服を脱がすようにていねいに皮をむいていくと、下からは白い肌が現れてくるんだ。皮をむいたリンゴの実って、女性の肌そっくりのような気がする。色も質感もそうだし、ぷくりと丸く膨らんだ曲線なんて女性のお腹《なか》の線そのものっていうかんじだ」

何がいいたいのか照代にはさっぱりわからない。毒気を抜かれたかんじだった。

皮をむき終えた厚志はなめらかな丸い実をテーブルの上にそっと戻し、上からナイフをいれてリンゴを真二《まっぷた》つに割った。

照代の胸がざわっと鳴った。もしかして。

「子供ができたんだ――」

はっきりと厚志はいった。

照代の体から一気に力が抜けた。

照代は子供を堕ろしたが、その女性は堕ろさなかった。勝てるはずがないと思った。目の奥から涙があふれ出すのがわかったけれど、奇妙に頭の一部が醒めていた。ひょっとしたら厚志はいいシナリオが書けるようになるかもしれない。そんな思いが胸の奥からふいに湧きおこった。

それから修羅場を数回くり返したものの、照代は結局厚志と別れることに同意した。離婚届に署名捺印をした次の夕方、アパートに帰ってみると厚志はいなくなっていた。

『迷惑ばかりかけてごめん。幸せに……シナリオライダー』

それだけ書いたメモが使いこんだ文机の上に残されていた。


交通事故で死んだ老人の四十九日が明日に迫っていた。年配の女性たちは今日も表のベンチの両端に座りつづけている。

「あと一日ですね」

と照代が同じレジカウンターのなかに入っている治子に声をかけると、

「騒ぎがおきなくてよかったわ。店の前で取っくみあいでもやられたら大変だもの。この調子でおとなしく明日も過ぎてほしいわ」

声は聞こえないものの、女たちはかなり真剣に会話をかわしている。いつもは散発的なのだが、今日は珍しいことに話が途切れることはないようだ。

後ろからなので、時折見せる横顔ぐらいしかわからなかったが別に罵りあいをしているわけでもない。仇《かたき》同士のような間柄でも長い間一緒にいればそれなりの親近感が湧くのかもしれないが、最初ほどではないにしても二人ともまだ少し両肩が尖っていた。

店の裏で段ボールの整理でもしていたのか、ベンチの前に幹郎の姿が現れて二人に声をかけた。二言三言、話をしてから幹郎は二人の前を離れ、ドアを押して店に入ってきた。

「何とか穏やかにおさまってるようだな」

カウンターに近づいてきて声をあげた。

「本妻と愛人が、いったいどんな話をしてるのかしら」

治子が怪訝な口調でいった。

「何だと思う」

「…………」

「じいさんの悪口さ。二人でじいさんの悪口を一生懸命いいあってるんだ」

このとき照代の脳裏に一度も見たことのない章子の顔が浮んだ。厚志の子を妊娠したというスナックのママだ。むろんぼんやりとした輪郭だけだったが、消し去ることのできない顔だった。

照代をすてて厚志が選んだ相手。会ってみたい願望はずっと持ちつづけていたが、実際にはその勇気がなかった。しかし、ここ数日店の前のベンチに座りつづける二人の女性を見ていて、奇妙な勇気のようなものが湧いてきたのも事実だ。罵りあっても取っくみあっても……とにかく一度は会ってみたかった。理屈なしの本音だった。

それに章子には渡したいものがあった。厚志がリンゴを章子の腹に見立てて皮をむき、真二つに割った果物ナイフが照代のバッグの底におさまっていた。使う気がしなかった。あれは章子のものだと思った。どこかにすてようと思ったがなかなか実行できなかった。

照代は冷蔵庫《リーフイン》に向かって歩いていく幹郎の後ろ姿に目をやりながら、

「交通事故で死んだ六十五歳のおじいさん、あの愛人と体の関係はあったんでしょうか」

訊くともなしに治子にいってみた。

「あったんじゃないかな、当然」

「そうなんでしょうね……仕方がないもんですね、男と女って。いくらいろんな経験つんでも結局一人では生きられないんですね」

「普通はね」

と治子はいいつつ目顔で冷蔵庫のなかを整理する幹郎をさし、

「一人で生きてる人もいるけれど……」

「そうなんですか」

と呟きながら、明日もし、ベンチの二人の女性が何も騒ぎをおこさず無事四十九日を迎えることができたら章子に会いに行こうと照代は決心した。

翌日は雨だった。ちょうど事故の日のように、細くて白っぽい雨が視界を煙らせていた。二人の女性はいつものように二時半頃姿を見せたが、もうしあわせたように黒っぽい服を着て、手には花を持っていた。道の脇に供えてからベンチの両端にひっそりと座った。

今日は一言も喋らない。二人ともじっと前を見つめてうつむいている。三時少し前になったとき、本妻が懐から数珠《じゅず》を取り出した。それにならってか愛人のほうも同じように数珠を手にした。

「芝居がかってるわね」

治子が呟くようにいった。

「そうですね」

と相槌《あいづち》を打ちながら照代は、まるで無言劇を見ているようだと思った。

「何だか二人とも、事前に打ちあわせをしたように服装も動きも同じじゃないか」

笑顔を浮べる幹郎に治子がうなずき、

「あり得ますよね」

今日も照代と治子はレジのなか、幹郎は外からカウンターにもたれかかっている。

事故のおきた三時少し過ぎ、二人は数珠を手にして頭を深々とたれた。三分ほどその状態がつづいて儀式は無事終った。あっけないほど何の動きも見られない四十九日だった。

ほっとしたように二人は自分の足許をしばらく眺めていたが、やがて立ちあがって驚いたことに互いに深く頭を下げあったのだ。

「あらっ」と治子が低い声をあげ、

「仲のいいこと、でも無事にすんでこれでよしか」

そのとき本妻が右手をポケットのなかにいれ、何かを取り出して愛人に差し出した。金色の光が目に入った。例のルージュだ。

本妻が何かをいい、愛人が何かを答えて押しいただくようにルージュを受け取った。目尻が下がって両頰がほころんでいた。嬉しそうだ。ほんの少しだったけれど、尖っていた肩がすっかり落ちて丸くなっている。が、本妻の両肩はまだ充分に尖っていた。

ガラス窓を通して見る画面からは緊張感がすっかり消えていた。愛人は何度も本妻に頭を下げ、ルージュをしっかり握りしめて小走りにその場を離れていった。あとに残された本妻の両肩がようやくすとんと落ちた。

「何だか違うような気がするな。やっぱり単品が本妻でセットが愛人じゃないのかしら」

独り言のように呟く治子に、

「いいんだよあれで、丸くおさまったんだから。事実なんて人の心の思いこみに較べたら些細なことなんだから。じいさんだってこれでほっと胸をなでおろしてるよ。納まるべきところに納まったんだよ」

幹郎のふわりとした言葉に、その通りなのかもしれないと照代も思った。

銀木犀はすぐに見つかった。繁華街とは少し離れた裏通りの端だった。

間口二間ほどの小さな入口を見つめながら、照代の胸は壊れるほど速い鼓動を打っている。バッグの中から果物ナイフを取りだし、上衣の右のポケットにいれてから、思い直して左のポケットに照代は移し変えた。右手でナイフを握りしめれば相手を刺すかもしれない……そんな気がした。そのために処分しないで、バッグに大事にいれておいたとも考えられた。

時計を見ると五時半を少し回っていた。鍵がかかっているかもしれないと思いつつ、ドアノブをひねるとカチリと動いた。

おずおずとなかに入る。

「ごめん。まだ、お店開けてないから——」

すぐに元気のいい声が飛び、細長いカウンターのなかから男っぽい雰囲気のすらりと背の高い女性が照代を見ていた。

「あの」といって照代は立ちすくむ。

瞬間二人は凝視しあった。すぐにカウンターのなかの女性の顔がふわりと崩れ、

「あなた、照代さんでしょ。そうでしょ。どうぞ遠慮しないで入ってきて。私一人だから何も心配することはないわ」

いわれるままにカウンターだけの小さな店のなかに入りながら、照代の目はその女性の腹の部分に注がれている。大きくなかった。

「章子です。初めまして」

カウンターの前に照代を誘い、章子はぺこりと頭を下げて微笑んだ。

何かが変だ。何かが食い違っている。

そんなとまどいを胸に抱きながら軽く頭を下げて改めて章子と名乗る女の顔を見た。

目鼻立ちのくっきりした男っぽい雰囲気だが化粧映えのする顔だった。背も高いし、かなりの美人……来るんじゃなかったと萎える気持をふるい立たせて、どこか劣る部分はと粗《あら》さがしをしている自分に気がついて照代はそっと視線を落とした。

「もっと早く来るんじゃないかって思っていたから、ちょっと驚いてる。照代さんのことは厚志からさんざん聞かされて大体性格はわかってるつもりだったから。たぶん一度はここに来るだろうって」

「………」

「何か飲む。軽いお酒かなんか」

ゆっくりと首を振る照代に、

「じゃあ、コーヒーか紅茶は」

「……コーヒー、いただきます」

まともな声が出た。ようやく気持が落ちついてきた。これからだ。

「お腹のほうは大丈夫なんですか。今、何カ月なんですか」

気になっていたことを訊いた。

章子がまじまじと照代を見た。

「……ごめんなさい」

それまでとはまるで違うかすれた声を出した。コーヒーをいれる手をとめて視線を落とした。

「……嘘なの」

視線を落としたまま、消えいりそうな声を出す、くっきりした顔を照代は不思議なものでも眺めるように見た。

「みんな嘘。私が厚志の女だってことも、子供ができたってことも、あなたと別れて私のところへ来るってことも……あいつ、ずっと前からここの常連なの。私とあいつは小学校からの同級生で、もちろん体の関係なんて一切なし。そんな縁で厚志にあなたと別れるための算段を頼まれて、仕方なく厚志の彼女役を引きうけることになったの」

「…………」

「悩んでたのよあいつも。とにかく照代さんと別れなければと、あいつ思いつめてたの」

「なぜ」

低い声を絞り出すようにあげる照代に、

「あなたに死ぬほど惚れてたから」

ぼそっといってから、章子はことのいきさつをゆっくりと話し出した。

厚志が章子に離婚のための相談をもちかけたのは三カ月ほど前だという。

「女房と別れたいんだ。いいやつなんだ。このまま俺と一緒にいたら、あいつ一生幸せになれない。子供だって産めないし、死ぬまで働きつづけて俺を養うだけで終っちゃう。そんなことになったら俺……気が変になるかもしれない。だから、あいつは俺なんかと別れて、ちゃんとしたやつとやり直して人並な幸せをつかむのがいちばんいいんだ。俺、あいつに真底惚れてるから。死ぬほど好きだから」

こんなことを厚志はいったそうだ。

「シナリオのほうはどうなったの。それで成功すれば問題ないじゃないの」

励ますように章子がいうと、

「だめなんだ。あいつと一緒に暮しはじめて、ずっとシナリオ作りに没頭していろんなところに投稿しつづけてきたけど全部だめ、かすりもしなかった。才能ないんだ俺。この程度の実力ではとても世の中には認められないってことがようやくわかったんだ。好きだということと才能のあるなしは別ものなんだ」

厚志はカウンターに何度も頭をぶつけた。

「じゃあシナリオなんて諦めて、あんたが照代さんをしっかり養えばいいじゃないの」

章子は正論をぶつけた。

「俺がまともな生活なんてできないことは、小さいころから見てきた章ちゃんがいちばん知ってるじゃないか。ちゃんとした会社に勤めても一週間もつかどうか……根っからのぐうたらだってことよく知ってるだろ。そんなことが可能なら誰も苦労なんかしやしないよ」

その当時、こんなことをしょっちゅう怒鳴って酒をあびるように飲んで荒れたという。

いれたてのコーヒーをそっと照代の前に置いて章子は深い溜息をもらし、

「小さいころから一緒だったから、あいつのぐうたら加減は私がいちばんよく知ってる。好きなこと以外はまったくだめ。その好きなシナリオの道から見放されたら厚志にとっても打つ手はなかったと思う……だから私はあいつの嘘の芝居に協力することにした。照代さんが離婚をしぶって、ここに乗りこんできたときに対応するのが私の役目……たとえ照代さんに恨まれてもそのほうがいいと思った」

なんといっていいのか、照代は返す言葉がいくら探しても見つからなかった。あれが全部嘘だったとは。

「ちょっとひどいことというけど、ごめんね」

と章子はまず前置きをいってから、

「最初は厚志、あなたのことといいカモだと思ってたの。うまいこと同棲すれば心おきなくシナリオを書くことができるって。でも一緒に暮し始めてその目算が狂っちゃったといってた。一生懸命つくしてくれる照代さんを見ているうちに、厚志のほうも本気になって惚れちゃって……子供の件があって思わず結婚という言葉を出しちゃって……でもあれも本気だったって厚志いってた。子供はかわいそうなことをしたけれど、あのころがいちばん幸せだったっていってたわ。でもそれが首をしめることになったの。結婚してなきゃ、そのままあなたの前から姿を消せばそれですむけど、離婚届を出さなければ厚志はいいとしてもこの先、照代さんが他の男と結婚できなくなっちゃう。だからといってただ単に別れてくれといってもあなたのほうが承知しないだろうって。だからあんな芝居を打つことになったの。本当に莫迦なやつ」

　つかえながらも章子は一気に喋った。

「筋書きはみんな厚志が書いたんですか」

「そう……リンゴの場面をのぞいて」

「やっぱり。わざとらしさはあったけど、あの場面だけは光ってましたから。あのシーンがあったから毒気を抜かれて、私冷静になれたんです。あれがなかったら頭に血が上ってとんでもないことになっていたかもしれない」

　照代はほんの少し笑顔を見せ、

「あれは章子さんのアイデア？」

「そう。ごめんなさい」

「厚志って、やっぱり本人がいうようにシナリオライターの才能ないのかも……別れてよかった。一生、男の面倒見るなんて今どきはやらないものね。莫迦みたいだものね」

　思いきり笑おうとしたら涙がこぼれた。止めようとしたが次から次へと流れ出た。照代は鼻をすすりあげた。何度もすすりあげた。

「照代さん」

　章子が柔らかい声で照代を呼んだ。

「今はまだ照代さん若いから、厚志のようなぐうたらを死ぬまで面倒見ようなんて優しい気持を持てるけど、でもあと十年たったらそんな気持、きれいさっぱりなくなってるかもしれない。長い目で見れば別れて正解。早く忘れるのがいちばん――」

「そうですよね。あんなぐうたら、私なんかが面倒見る必要なんて全然ないですよね」

できる限り明るい声をあげた。

「そうそう。あいつは甘ったれのガキそのものなんだから。どこでのたれ死のうが自業自得」

それから二人はしばらく厚志の悪口をいい合った。よくこれだけ出てくるものだと驚くほど二人で厚志をこきおろした。

「それで今、厚志は」

帰り際、かすれた声で照代が訊くと、

「さあ。照代さんと別れた直後、一度この店によったんだけどそれからはさっぱり」

章子はゆっくりと首を振り、

「ああ、そういえば、これからどうするのって訊いたら、シナリオライダーとか何とか訳のわからないこといってた覚えがあるわ」

シナリオライダー……厚志は本当にバイクの後ろに紙芝居を載せて走っているのかもしれない。嘘のような話だったが事実のような気もした。

「また遊びにきてね」

という章子の声を背中に店を出た照代は、ポケットのなかの果物ナイフをそっと握りしめた。これをどうしようと考えてみて、果物ナイフは果物のそばがいちばん似合うことに改めて気がついた。

そうだ久しぶりにリンゴをむいて食べよう。あれから照代はリンゴを一度も食べていない。見るだけで気分が悪くなった。それも今日で解消だ。

リンゴを買って帰ろうと決心してから、どうせ買うならミユキマートにしようと考えた。はやっていない店なのだ。少しでも売上げを伸ばしてやらなければ。

空を見ると、いつのまにか雨はやみ、むいたばかりのリンゴの皮のような夕焼けが広がっていた。

第四話　パンの記憶

朝の六時半すぎだ。

四人の男たちがてんでんばらばらに手足を動かして、ふらふらとコンビニの駐車場で踊っている。サラリーマン風の男たちだが、ネクタイは曲がっているし服もよれよれだ。どうやら朝方まで、近くの繁華街で酒を飲みつづけていて追い出されてきた連中らしい。

ベッドの上に起きあがり、アパートの窓から男たちの踊りをぼんやり眺めていた香《かおり》はそれがラジオ体操の第二であることにようやく気がついた。

「へえっ」

と思わず驚きの声が香の口からもれた。四人のちぐはぐな手足の動きが妙にコミカルな雰囲気をかもし出し、どことなくちゃんとした芸になっているような気がした。まるで何かの歌を輪唱しているような動きだった。

私にはできない……いちおうは役者の卵であるはずの香はふっと溜息をつく。それにもしできたとしても路上では絶対に無理だった。恥ずかしかった。現に今だって道行く人たちが好奇の視線を四人に投げかけていくのだ。

突然、五十代初めぐらいの四人のなかではいちばん年嵩《としかさ》に見える小柄な男が「フィニッシュ」と叫んだ。

男たちの勝手な動きがぴたりとやみ、ぴんと背筋を伸ばして整列した。ゆっくりと両手を大きく回し、いやに生真面目な表情で深呼吸の動作に入る。四人の息がぴたりと合った。どうやら宴会芸のようだが、今までいろいろな場所で何度もこのラジオ体操をやってきているのだろう、その場限りの動きではなく年季が入っていた。芸の域に達していた。

深呼吸が終ったとたん、男たちはくるりと後ろを向いてズボンとパンツを一気に下げた。裸の尻がむき出しになって突き出された。汚い尻だった。男たちはその尻を右手でパシンと叩いてぶるっと震わせた。

目を丸くしている通行人に向かって、

「ありがとうございました。それでは行ってまいります。皆様方も今日も元気にドドメ色の一日をおすごしください」

振り返った四人が一緒になって叫び、深々と頭を下げた。ズボンは下がったままだが、パンツだけはあがっていた。そしてまた、もとのだらしのない格好に戻り、駅の方角に向かってよろよろと歩き出した。

四人がいなくなると、それまで舞台のように広く見えた小さなコンビニの駐車場が急に色あせて狭く感じた。『ミユキマート』という、香の住んでいるアパートのすぐそばにあるコンビニエンス・ストアだ。

世の中にはいろいろな人がいると、夢でも見た思いでぞくっと体を震わせてミユキマートの店先に目をやった。食料品が底をつきかけている。そろそろ買い出しに行かなくてはと頭のなかで反芻しながら香はベッドからゆっくり降りた。アルバイトをしているガソリンスタンドは十時出勤なので、起きるには早すぎるのだが、妙なものを見たせいか完全に目が覚めてしまった。

朝の洗顔のあと髪を洗おうとしたらリンスが切れていた。テレビを見ながらパンとコーヒーと目玉焼の簡単な食事を時間をかけてすませ、身仕度をゆっくり整えてミユキマートに出かけると、ちょうど開店したばかりの八時だった。

店内に入ると雑誌の棚を整理していたこの店のオーナーと目が合った。確か堀幹郎という名前で、ここ数カ月の顔なじみだ。

「おはようございます。早いですね香さん」

気軽に声をかけてくる幹郎に、

「何となく目が覚めちゃって。まだ出勤するには早すぎるし……」

普段は周囲から無口でネクラだといわれている香だったが、幹郎とは割に気軽に口をきくことができた。人の噂によれば、幹郎は子供と奥さんを相ついで交通事故でなくしているということ。そのせいなのか、漂わせている雰囲気は暗かったが決して不快ではなかった。むしろ暗さの向こうに温かさのようなものが見え、ほっとするものを覚えた。

それに香は、幹郎の姿に死んだ父親の面影をだぶらせることがあった。香が小学校二年のときに急死した父親。そんないきさつもあり、ミユキマートに顔を覗かせるときだけは無口な自分から解放された。

「もうそろそろなんじゃないですか、今度の芝居の公演」

屈託のない幹郎の言葉に香の胸がざわりと騒ぐ。

「公演はまだ二カ月あとだけど稽古は明日から。今夜配役がきまるから」

ぼそっといった。

「へえっ」と幹郎は目を細め、

「いい役につけるといいですね」

「多分。今度は重要な役がもらえると思うんだけど……」

そういってから香は少しだけ言葉を濁し、

「ポスター、できあがったらまたお店に貼らせてもらっていいですか。それとチケットも置いてもらえると助かるんだけど」

甘えた声を出した。びっくりした。普段は無口な自分がこんな声を出すとは。

「もちろん、いいですよ」

という幹郎の声をうつむきかげんで聞き、わずかに染まった顔を隠すように香はその場をそっと離れた。

シャンプーやリンスなどの日用品をかごにいれてから、食料品の棚に移動する。調理に簡単な冷凍物が主だが、卵や肉、日持ちのする野菜類も欠かせない。あとは主食の米とパン類だ。

パンのつまれた棚を物色していると、

「いいパンが入ってますよ香さん。先週から置くようにしたんだけど、体力を使う役者さんにはぴったり」

店の隅にいた幹郎がやってきて、パン棚の下段から五十センチほどの細長いパンを取り出した。

香の胸が異様な音をたてて鳴った。

「フランスパンに似てますが栄養堅パンといって、カルシウムやらビタミンやら、体にいい成分をいれこんだパンです。正直いって味はあまりよくないけど、日持ちもするし偏食気味の若い人にはぴったりですよ」

言葉が出なかった。見覚えのあるパンだった。小学校五年生のとき、香は毎日いやになるほどこのパンを食べさせられたのだ。忘れてしまいたい暗い思い出と一緒に。

香は睨みつけるようにそのパンを見すえてからかすれた声で、

「そのパンは嫌いです」

口を真一文字に結ぶ様子に、ただならぬものを感じたのか、

「あっ……そうですね。誰にも好き嫌いはありますから」

幹郎はその場をとりつくろうように慌てていい、鼻をほんの少しすすった。

食料品と日用品のぎっしりつまったポリ袋を手に、アパートにつづく道を歩きながら香の胸はひどく重かった。

あのパンをこんなところで再び見ることになるとは。できれば一生見たくないパンだった。あのパンを食べつづけた半年間、母は完全に私をすてていた。男に狂っていた。嫌な思い出の元凶ともいえるパンだった。

ポリ袋を提げた手をぎゅっと力一杯握りしめながら、これは何かの悪い予兆なのではと香は真剣に考える。今夜は芝居のキャスティングが発表される、大切な日だというのに。だが大丈夫だ。今回は必ずいい役がもらえるはずだ。あんなことまでしたのだ……香は眉間に皺をよせて強く頭を振った。


香の足は、どこに行くにも自転車だ。

毎日ペダルを踏みながら、まず昼間のアルバイト先のガソリンスタンドに行き、それが終れば夜は居酒屋のアルバイトだ。もっとも劇団の公演がきまれば夜の稽古が始まるため、居酒屋のバイトは休業になる。

香の所属する小劇場系の劇団『火車《ひぐるま》』の稽古場兼事務所は、西武新宿線の上石神井《かみしやくじい》の近くにあった。香の住んでいるアパートからはけっこう道のりがあるが、いつもならうんざりするこの距離が今日に限って苦にならない。

きっといい役がもらえる。もらえないはずがない。そのために香は思いきった手段に出たのだ。劇団の代表者で演出家でもある小西《こにし》と体の関係を持ったのは、まだ三日前のことだった。

集合時間の八時少し前に自転車は稽古場についた。オーディションの結果発表のときはいつもそうだが、部屋のなかに入ると一種異様な空気が漂っている。

香は三十畳ほどの板敷のスペースにてんでんばらばらに座っている二十人ほどの劇団員の間を無言で抜け、部屋の隅に壁を背にして座りこむ。ぎゅっと膝小僧を抱いて、かすかに貧乏ゆすりをはじめた。端役がずっとつづいていた。そろそろいい役が欲しかった。

もともと、香がこの劇団に入った理由は看板役者を置かず、公演がきまった時点で全劇団員のオーディションをして役を決定するという自由なシステムが気にいったからだ。ベテランも新人も関係なく、実力さえあれば二十一歳の香でも主役を張ることができる。といっても先輩連中を飛びこえるのが容易でないのも事実だった。

明日から稽古が始まる秋公演は『満月虫』というタイトルで、太陽のかわりに頭上に輝く巨大な満月が支配する夜だけの不思議な世界の物語だった。

ここにはあらゆる悪がはびこり、人々は堕落しきっている。偶然この国に迷いこんだ主人公の男女は、住民であるヤクザや娼婦、双子の看護婦、コンピュータの技師たちと力を合わせ、夜だけしかない不思議なメカニズムの謎をといて、この世界を支配する満月虫という名の神と対決するファンタジックホラーだった。

香の欲しいのはむろんヒロインの役ではない。そこまでは望まないが、せめて主人公を取りまく数人の女たちの一人になりたかった。そこそこセリフがあって、最後まで舞台の上に残ることのできる役なら何でもよかった。

膝小僧を抱えてぶるっと大きな貧乏ゆすりをしたとき、代表者で演出家の小西が稽古場に入ってきた。

小西はゆっくりと板敷の真中まで歩き、前置きも何もなしのまま、

「今回の公演の、満月虫のキャスティングを発表します」

事務的にいって、主役級の名前から順々に配役を発表していったが、いつまでたっても香の名前は出てこなかった。

最後に近づいたときようやく名前を呼ばれた。信じられなかった。また端役だった。主人公と行動を共にするヤクザに刺されて死ぬ、その他大勢の一人だった。

「じゃあ、稽古は明日の夜からですから各自遅刻することのないように」

小西はそれだけいって、さっさと部屋から出ていった。とたんに私語がどっとあふれ、部屋の温度が一気に高くなった。

数分後、香は暗い夜の裏町を自転車を引き、足を引きずるようにして歩いていた。体中の気力がどこかに蒸発したように萎《な》え、とても自転車をこぐ力など残っていなかった。

なぜまた端役なのか。香には理解できなかった。それなら三日前の出来事はいったい何だったのか。確かに自分はあのとき、今回の芝居でいい役が欲しいとはあからさまに小西には

いわなかったけれど、キャスティングの直前に役者が演出家に体を提供するということはそういうことにきまっている。

三日前、ガソリンスタンドの仕事を終えた香は小西の携帯に電話をいれ、

「芝居のことで少し相談があるんですが会ってもらえないでしょうか。できれば今夜がいいんですが」

断られるかもしれないと、香の胸は全力疾走のあとのように速く打っていたが、意外にも小西は簡単に承諾した。

居酒屋のバイトを休み、八時少し前に約束した新宿のショットバーに行くと、すでに小西は来ていてカウンターの前に座ってウィスキーの水割りを飲んでいた。そっと小西の隣に座り同じものを頼んだ。

「すみません。お忙しいところを」

緊張した声でいう香に、

「いや」

といって小西は大雑把に微笑んだだけで呼び出された理由も質《ただ》さなかった。

何をどう切り出していいのか香には見当もつかなかったが、一種の自信じみたものはあった。劇団に入ったときから小西は自分に関心を持っている。香はひそかにそう感じていた。目が合ったときに伝わってくる温度が違った。熱いものがあった。あれは牡《おす》の目だ。

無言で飲んだ。しばらくして、

「先日、出演者のすべてが沖縄の人たちだけで構成されている芝居を見た。方言がすばらしかった。動きがとてもリズミカルで、それでいて太いロープのようなしぶとさがあった。君も一度見てみるといい」

こんなことを小西はぼそっといった。

「……見てもいいですが、その前に私を抱いてくれますか」

必死な面持ちで香は大胆な言葉を小西にぶつけた。まるでちぐはぐな会話だったけれど、何とか自分の気持を小西に伝えることはできた。肩の荷がすっとおりた気分だった。そのかわりに顔が真赤に染まった。

軽くなった肩を小西がぽんと叩いた。

一時間ほどあと、香はラブホテルのベッドで小西に抱かれていた。肢を大きく拡げられ、体の芯を熱いもので貫かれながら、香はベッドのシーツを力一杯握りしめていた。快感を覚える余裕などなかった。ただ恥ずかしかった。できる限り声を出すまいと必死に耐えて香はひっそりと小西に抱かれた。心のゆとりはなかったが香は幸せだった。

香は劇団に入ったときから小西にひかれていた。

小西は決してハンサムではない。年齢にしては痩せて背の高いことをのぞけば、どこにでもいる四十過ぎの中年男の一人にすぎない。が、香は小西が好きだった。妻子があることも知っていたが気にならなかった。ファザコンのせいかもしれないと考えてみたものの、小さいころになくした父親の面影はミユキマートの幹郎のほうが色濃く漂わせている。しかし、何かこう一種の懐しさのようなものがあるのは事実だった。

だから香は無理やり我慢をして小西に抱かれたわけではない。むしろ逆だった。香は小西に抱かれる大義名分を、この三年間あれこれ考えぬいてようやく見つけ出したのかもしれなかった。

休憩の二時間で二人はホテルを出た。人通りのある路地まで一緒に歩き、

「気をつけて帰れよ」

それだけいってぽんと肩を叩き、小西は雑踏の中に消えた。

本当はもう少し一緒にいたかったものの、香の体には充足感が満ちていた。好きな男に抱かれた、いうにいわれぬ嬉しさと今回の公演のキャスティング……いい役が欲しいと口には出さなかったが、それぐらいのことは察しがつくはずだった。

それがまた端役だった。

足を引きずりながら香はぎゅっと自転車のハンドルを握りしめた。目の奥が熱くなっているのがわかったが、涙だけは流すまいと歯をくいしばった。

それからどれほどの時間を歩いたのか。一気にあふれた。気がつくとミユキマートの前に香は立っていた。我慢していた涙が頰を伝った。幹郎に会いたいと思った。父親に似た幹郎に何もかもぶちまけて甘えてみたかった。

ほんの少し躊躇したものの、香は自転車を店の駐車場に停め、ハンカチを出して両目をぬぐった。腕時計にちらりと視線を走らせると九時四十分、閉店の二十分前だった。

入口の扉の前で声をかけられた。

「あら、香さん」

ミユキマートを事実上取りしきっているベテラン従業員の治子だ。ちょうど帰宅するところらしく、肩から大きなバッグを提げている。

「こんばんは」

と、かすれた声をあげる香の泣きはらした顔に気がついたのか、治子は一瞬訝しげな表情を浮べたものの、

「毎度ありがとうございます。店長はまだなかにいますから、何でもいいからどっさり買ってやってください」

軽く手を振ってその場を離れた。

扉の前から店の奥をうかがうと、売上げの整理でもしているのか、カウンターの向こうに背中を丸めて幹郎が座りこんでいるのが見えた。遠目に見る姿は幼いころに頭の奥に刻みこんだ父親の姿に酷似していた。

ドアを押す手を香が躊躇したのはパン棚のいちばん下に並べてある、幹郎に今朝すすめられた細長いパンの姿を目の端がとらえたからだ。

香の手はそれ以上動かなかった。頭の芯が奇妙に冷静になり、いつもの無口でひかえめな自分に戻っていた。

いくら父親の姿を幹郎にだぶらせてみてもそれは香の勝手な思いこみで、向こうにしたら

いい迷惑かもしれない。幹郎はこの店のオーナーであって、香の父親でもなければ保護者でもないのだ。

香はゆっくりと自転車のそばに戻り、ハンドルを握って力なく歩き出した。

翌日は一日中ベッドのなかにいた。

ガソリンスタンドのバイトにも出かけなかった。初めての無断欠勤だった。何も食べず、何も飲まず、シミの浮き出た古いアパートの汚れた天井を眺めて過ごした。

築三十年以上はたつ、この洋風のワンルームだけのアパートにはクーラーがついていない。それでも借りたのはバスはないもののシャワーとトイレの設備があったのと家賃が安かったせいだ。

うだるような部屋のベッドの上で香は身じろぎもせずに横になり、窓を開けて風をいれようともしなかったし扇風機を回そうともしなかった。

皮膚の表面からじわっと汗が噴き出すのが目に見えた。さらりとした汗はやがて体の表面に薄い膜を張り、粘り気のある濃い汗に変化していった。際限もなく汗は流れ出たが香はシャワーを使わなかった。粘った汗は先日の小西とのセックスの残滓《ざんし》のような気がした。すべて絞り出してしまいたかったが、それでも香は小西が好きだと思った。

夕方までに電話が何度も鳴ったが出る気がせず放っておいた。

夜になってパンを一きれ食べ、牛乳を少し飲んだ。空腹の体に心地よいはずなのに何の味も感じず、うまくもなかった。

芝居の稽古にも行かず、香は執拗にベッドの上で横になりつづけた。

寝すぎるのが疲れるということに初めて気がついた。疲れるとうろうろと狭い部屋のなかを歩き回った。汗がしたたって落ち、板敷の床にシミをつくった。体をぶるぶる振るとシミの数は一気に増え、何の根拠もなしに面白さを感じた。香は犬のように何度も何度も体を震わせて床にシミをばらまいた。

次の日も一日中部屋のなかにいた。

夏の陽射しが一気に部屋の温度を上げ、相かわらず香は汗を流しつづけたが、午後になってようやく窓を開ける決心をした。生あたたかい風が妙に気持のいいのが腹立たしかった。体には、こびりついた汗が厚い層をつくっているはずだがシャワーだけは使うつもりはなかった。

食べものも口にするようにしたが、スナック菓子やパン類、それに冷蔵庫のなかにあるものでそのまま食べられる乳製品や生野菜などに限られた。料理をする意欲はまったく湧いてこない。香は投げやりな気分で汗を流しつづけ、咽が渇くと牛乳か缶ビールを飲んだ。

三日目になると電話は一本もかかってこなくなり、冷蔵庫の低いうなり声だけが聞こえていた。それでも昼間は外からの騒音が入ってくるが、深夜になると何もかもがしんと静まりかえって不気味だった。

眠れないまま暗い床にぺたんと腰をおろし、この三日間、香は一言も喋っていないことに気がついた。食べるとき以外に口を開けることは一度もなく、開ける理由もなかった。

また、失声症になるのでは……。

そんな思いが胸の奥に湧いた。失声症の記憶は、ミユキマートで幹郎にすすめられた栄養堅パンの嫌な思い出につながり、香の現在の性格を形づくった要因ともいえた。

小学校五年の夏のことだった。


香が生れたのは静岡県の清水市だった。父親は市内の建築関連の会社に勤め、母親は専業主婦で香は一人娘だった。

父親が急死したのは香が小学二年になったばかりの四月で膵臓癌《すいぞうがん》だった。発見されたときには転移が広がり、すでに手遅れになっていて父親の明人《あきひと》は入院後二カ月で呆気なくこの世を去った。四十歳の若さだった。

「お父さんいつ帰ってくるの、どこへ行ったの……」

このとき香は、病院のベッドでわんわん泣きながらこんなことをいったのを覚えている。

休日になるといつも一緒に遊んでくれる父親が香は大好きだった。絵を描くことや折紙がかなり得意な器用なたちで、そんな父親が香には自慢だった。

たったひとつの不満は、友達の父親たちに較べてほんの少し明人は背が低いということだ。だから香は父親にせがんでよく肩車をしてもらった。肩車をした分だけ父親の身長が高くなるようで嬉しかった。

父親が死んで一年ほどが過ぎたころから、当時三十九歳だった母親の初代《はつよ》の許へ再婚話が親類筋などから持ちこまれるようになったが、初代はすべてこれを断った。

「私には香がいますから、この子と二人で暮していければ充分に幸せです。それに再婚するには中途半端な年ですし」

母親が頼もしく見えた。子供心にも再婚がどんな意味なのかは漠然とわかった。父親は明人一人で充分なのだ。初代はこのころ生命保険のセールスをやりはじめていた。

母親の初代の様子が変ってきたのは、香が小学五年生になったころからだ。

どこがどう変ったともいえないが雰囲気が華やかになった。香の世話や家事はきちんとこなしていたものの、それまでは遅くても夜の九時前には帰宅していたのが週に一、二度は十一時をこえることが出てきた。香の夕食は出勤前に作られ、電子レンジにいれれば食べられる状態になっているため、食事の心配はなかったが淋しいことは確かだった。

夏休みに入る直前のことだ。

「香ちゃん、夏休みになったらお泊りで旅行しようか。浜名湖の遊園地かどこかへ」

嬉しそうに香の顔を初代は覗きこんだ。

香は飛びあがって喜んだ。父親が死んでから泊りで旅行などしたことは一度もない。

当日、家を出る間際に、

「実はね、お母さんのお友達も一緒なの。その人、向こうでお母さんたちが行くのを待ってるの。気持のいい人だから香ちゃんもきっと好きになるわ」

てっきり女性だと思いこんでいた香は、浜名湖畔のレストランで待っていた相手が男性だとわかってひどく驚いた。

　中年の男性だったが、父親の明人とはまったくタイプの違う、すらりとした体型をしていた。

「君が香ちゃんか。白石《しらいし》といいます。お母さんの友達です、よろしくお願いします」

　白石と名乗る男は香に向かって握手のつもりか右手を差し出したが、香はさっと母親の後ろに逃げこんだ。

　レストランで食事をし、ボートに乗ったり付近を見物したりする間中、白石は何かと香に話しかけてきたが、香は曖昧にうなずくだけで一言も喋らなかった。

　その夜は湖から少し奥に入った和風の温泉旅館に泊った。二間つづきの豪華な部屋で、食事は三人で床の間つきの十二畳の部屋でとったが寝るときは二つにわかれた。十二畳の部屋に初代と香の布団が敷かれ、白石には次の間の八畳があてがわれた。

「こちらはおじさんの部屋だから、絶対に開けちゃだめよ」

　と初代は香に念を押した。

　香は熟睡タイプで夜中に目を覚ますことなどまずなかったが、その夜はよく眠れなかった。何度も夢を見て、そのたびにぼんやりと目を覚ましてまた眠りに入った。

　目が完全に覚めたのは夜中の一時頃だったか。隣の布団を見ると母の姿がなかった。いいしれぬ恐怖感が香を襲った。深い考えもなく香の胸にこのとき母親に『すてられた』という思いが湧きおこった。

布団の上に起きあがると隣の部屋から奇妙な音が聞こえてくるのがわかった。かすかなうめき声のようなもの、母の声に似ていた。

香はそろりと立ちあがり、隣との襖《ふすま》を音をたてずに開けた。はねのけられた布団のなかで白石と母親が裸でもつれあっていた。小学校五年生の香にはそれが何を意味するのかはっきりとは理解できなかったが、おぼろげながらわかったような気がした。本能的な直感だった。初代の白い肌にかぶさった白石の体はぴたりと密着して汗の玉が浮いていた。声のもれるのを防ぐためか、初代は自分の口に掌を押しつけている。それでも声はもれた。

香は襖の前で立ちすくんだ。枕許の淡い明りのなかに母の恍惚とした顔が浮んでいる。密着した二人の体が波のように動いた。そのとき閉じられていた初代の両目がふわりと開き、香の視線をとらえた。

「ひっ」という声があがった。

白石が慌てて初代の体の上からおりた。はねのけられたかけ布団を、初代は急いで手許によせて体をおおった。うつむいた白石は香と視線を合わせようとしなかった。

一呼吸すぎてから初代は香を睨みつけ、

「この部屋は絶対に開けちゃだめだっていったでしょ。早く襖を閉めなさい」

ヒステリックにわめいた。

途方にくれた思いで襖を閉めた数分後、閉じられた襖がゆっくりと開いて浴衣姿の母親が顔を覗かせた。立ちつくしている香を布団に誘い、自分も隣に入りこんで、

「香ちゃん、何だか悪い夢でも見たんじゃないかな。お母さん、ちょっとトイレに行っててこの部屋を出てただけなんだから。その間に香ちゃん、悪い夢でも見たようね」

優しい声でいって初代は香の髪をなでた。香はその手を無視して母に背中を向けた。

翌日旅行は中止になり、香と初代は白石と別れて清水に帰ることになった。電車のなかで初代は何かと香の機嫌をとるような言葉を並べ、車内販売の菓子をいくつも買って食べさせようとしたが香は終始無言で通した。

電車が清水に近づいたころ、初代は今まで見せたことのないような真面目な表情を香に向け、

「お母さん、あの白石さんていう人が好きなの。いつまでも生命保険の仕事をしてても生活は楽にならないし……あの人と結婚しようとお母さん思ってるの。でも白石さんには奥さんと子供さんがいて……今がいちばん大変で大切なときなの。それでも白石さん、お母さんと結婚してくれるってきちんと約束してくれた。もう少し先の話になるけれど、そうなれば白石さんは香ちゃんのお父さんになるんだから、そのつもりでこれからはいてほしいの。お願いだから」

まるで大人に話しかけるように、初代ははっきりした口調で淡々といった。

香はうつむいて初代の話を聞いた。全然別のタイプだ。私のお父さんはあんな人じゃない。顔だって体だってあんなに細くない。私のお父さんはたった一人だけ……お母さんはお父さんを見すてた。

次の日から香はものを喋らなくなった。というより口から声が出なくなってしまったのだ。初代は慌てて香を病院に連れていった。

「反回神経麻痺じゃないでしょうか」

と医師はいった。

何らかのアクシデントで反回神経がおかしくなり、声帯が麻痺するものだという。あるいはストレスや精神的なショックで声帯が異常をきたす場合もあるということだった。

「神経を強くするビタミン剤を出しておきますから、早ければ一週間ほどで改善すると思いますが……ただアクシデントの度合によっては、薬の効果が及ばないこともあります。場合によっては数カ月、数年ということも考えられますが、大人と違い子供さんのことで筋肉も神経もまだ柔軟ですから多分大丈夫でしょう」

医師のいう通り、症状は一週間ほどで改善されたが、この事件を境に香は極端に無口な子供になった。声は出るのだが喋るのが億劫《おっくう》だった。必要以外のことは喋りたくなかった。香は自分の殻に閉じこもった。

初代の様子が変ったのもこのころだ。

化粧が濃くなって服装に金をかけるようになり、家事一切に手を抜くようになった。めったに掃除をしなくなり、家具などの上には埃がつもり、家全体がくすんでうす汚れた膜をまとっているようだった。

それまではきちんと作っていた香の食事もいいかげんなものになった。おかずは惣菜屋で買ってきたできあいのものになり、それも面倒になると、食べ残りの同じ惣菜が何日も食卓に並ぶようになる。飯を炊くこともなくなった。香の食卓にはしょっちゅう、パンが並ぶようになった。

初代自身はほとんどが外食で早く帰宅することがまれになり、週に何度かは酒のにおいをさせて帰ってきて、疲れた表情で布団に倒れこむようにして眠っていた。

今になって考えてみれば母の初代はあの当時、白石との再婚の件で焦っていたのだと思う。一緒になるつもりで、香まで白石に会わせたものの結果は惨憺《さんたん》たるものだった。そのことが原因になったのか、それとも他に何かがあったのかはわからないが、白石は初代との結婚を躊躇するようになったのではないか。初代は離れていく白石の心をつなぎとめようと恥も外聞も忘れて必死になっていたのではないか。

「淋しい、淋しい」

と初代が夜遅く食卓の前で頭を抱えて泣いていたのを香は襖の間から見たことがある。

初代が落ちついてきたのは半年ほどたってからだった。白石との結婚は完全に潰れたようで初代の全身からは覇気がなくなり、急に老けこんで年寄り顔になった。初代はこのとき四十二歳になっていた。

その半年間、香の食事に出されたのがミユキマートで幹郎にすすめられた、カルシウムやビタミンの入った栄養堅パンだった。

昼は給食があったからよかったものの、朝晩はほとんどこのパンだった。おかずがあるときもないときも、毎日毎日香はこのパンを食べつづけたのだ。日持ちがよくて栄養はあったかもしれなかったが子供の香にはひどくまずいパンだった。たまに残したりすると、

「育ち盛りなんだから全部食べなさい」

ヒステリックに叫ぶ初代の顔には、時折だったが仇を見るような憎々しげな表情が浮んだ。

自分は母からすてられた。放心状態で香は黙々とパンを食べつづけた。何度かに一度は初代にわからないようにすてたこともあったが、腹が空《す》けばこれを食べるしかなかった。香はますます無口になり、母親の初代はこの事件を境に生来の慎み深さが影をひそめ、ぐちっぽい女に変っていった。

十年前の出来事だった。

香が部屋にこもって四日がたった。

外からの接触は何もない。香は汗のしみこんだシーツのうえに横たわり、もう九年になると胸のなかで指を折る。芝居をやり始めてからの年数だ。

中学、高校を通して香は演劇部に入った。普段の会話は苦手でも、芝居のセリフならきちんと喋ることができた。相手に気を遣うこともないし、自分をさらけ出す必要もない。約束事の言葉なのだ。それに舞台で喋るという行為は無口な自分にとって格好のストレス解消法にも思えた。

本格的に芝居をやりたいと、香は高校を卒業してすぐに東京に飛び出した。母親は地元の

企業に就職してほしいと懇願したが、家出同然の形で上京して火車に入団した。それから三年、まわってくるのは端役ばかりだった。

香はふらりとベッドから起きあがった。

トイレを兼ねたシャワールームに向かった。久しぶりにシャワーをあびて、自分の体を確認したい衝動にかられた。コックをひねり、熱い湯とぬるめの湯を交互にかぶった。

手足を眺めた。手も足も細くて長い。腰だってきゅんと締っている。乳房は小さいものの今の世の中なら充分通用する大きさだ。張りのある肌の上で湯の玉が弾けて躍っているのを見ながら『いったいどこが悪いんだ』と香は胸のなかで呟く。

体中にボディソープを塗りたくり、恥毛にシャボンをこすりつける。

あの部分を洗いたかった。小西と接触した部分だ。念入りに洗った。敏感な部分も奥まった部分も、数日前の小西の感触をすべてこそぎ落とすように香はむきになって下腹部を洗いつづける。むきになればなるほど小西に対する怒りが膨れあがった。同時に小西に対する思慕も大きくなるのがわかった。指がだるくなった。

シャワールームを出て服を着がえ、ぼんやりと床に座りこんでいると玄関のチャイムが鳴った。立つ気はしなかったがチャイムは執拗に鳴りつづけた。

ふらふらと立ちあがり、

「どなたですか」

と声をあげた。四日ぶりに自分の声を聞いた。かすれているのがわかった。ひょっとしたら失声症がまた始まるのかもしれない。

「小西です」

扉の向こうでくぐもった声が響いた。

香の体に衝撃が走った。小西がいったい何の用があって訪ねてきたのか。

「はい」

と低い声でいって、一瞬躊躇したもののドアをそっと開けた。

「自転車が表に置いてあったからいると思った……入ってもいいかな」

香の返事も聞かずに、小西は長身を折るようにして部屋のなかに足を踏みいれた。

「お茶もジュースもビールもありませんけど、それでよければ」

冷蔵庫のなかの飲料水はこの四日間ですべて飲みつくし、何も残っていないのは事実だった。

「すぐに帰るから、何もいらないさ」

あがりこんだ小西は部屋の真中にあぐらをかいて座りこみ、

「劇団をやめるつもりなのか」

単刀直入にいった。

「…………」

「今度の役が気にいらないということなんだろうが、正直にいえば今の君の実力はあの程度としかいいようがない」

香の胸に怒りがこみあげた。

「先生は——先生はそんなひどいことをいうためにわざわざ、ここまで来たんですか」

「……つづきがある。じぶんの芸を高めたかったら莫迦になることだ。自分をさらけ出すことだ。人に嗤《わら》われることだ。役者とはそういうもんだ。君は演技を頭で考えすぎる。演技は計算より本能に近い。体で覚えるものだ。人に嗤われ、人に莫迦にされてようやく役者の末端に加わることができる……君は路上パフォーマンスを一度もやったことがないだろ」

路上パフォーマンスは、劇団員に小西がすすめる一種の芝居の練習法だ。人の集まる路上や広場、あるいは地下鉄のなかやデパートのなかで、勝手に自分の芸を披露して周囲の人間に見せつけるものだった。寸劇でもいいし芝居のセリフでもいい、むろん踊りや歌でもいい。

通行人の冷たい視線にさらされることは間違いなく、実行するには相当の度胸がいるが、火車の劇団員は香をのぞいてすべてこれを実行している。

「役者の根本は恥をさらすことだ。莫迦になって、むきになって自己表現をすることだ。通行人の冷たい視線が体に突き刺さり、それが垢となって体に堆《うずたか》くつもってようやく半人前だ。やがてその垢が役者のオーラに変化して輝く瞬間がくる。そうなってこそようやく一人前の役者といえる」

小西の持論だったが、香にはとうていついていけない。時代錯誤もいいとこだ。役者は舞台の上で最高の演技を見せればそれで充分、日常の生活で恥をさらすなどまっぴらだった。それに無口な自分にそんなことができるはずがなかった。

「劇団をやめるのは君の勝手だがその前に一度、路上パフォーマンスをやってみろ……無口でネクラで人間嫌いの、あれはまさに君のためにあるような練習法だ。私を見てくれと路上で叫べ。あざといぐらいの自己アピールをしろ。無視されたら睨みかえせ。力ずくでも振り向かせろ。しぶとく図々しくなれ……そこそこ器用に何でもこなす役者などいちばんつまらん。いうことはそれだけだ」

早口でそれだけいって立ちあがる小西に、

「私の演技ではまったくだめなんですか」

香が泣くような声で叫んだ。声がかなりかすれていた。失声症の前兆……。

「君の演技は教科書通りで面白みがない。セリフは言葉になっていない。君の口から出てくるのは活字だ。台本に印刷されている活字がぼろぼろ出てくるだけで言葉なんかじゃない」

「だったら」

といって香は言葉をつまらせ、

「なぜそんな才能のない私を先生は抱いたんですか。少しは見込みがあるからいい役につけてやってもいいと考えたからじゃないんですか。それに——」

香は慌てて言葉を切った。

『それに、先生は入団したときから私を気にいってたんじゃないですか』

そんな言葉が口から出そうになったのだ。いえるはずがなかった。

「私は中年の好色漢だから、若い女性から誘われればこばむ理由など何もない。それにあれは私にいわせれば、君の最後のオーディションのようなものだった」

「…………」

「私は君がどんな抱かれ方をするか見極めたかった。君がその全身を使ってどんな自己表現、自己アピールをするのか知りたかった。その自己主張の強さによってはワンランク上の役でもいいと考えたんだが、まったくの期待はずれだった。君は何の自己主張もしなかった。ただひっそりとおとなしく体を開いただけ。女優が自分の体を武器にいい役をもぎとることは珍しくもなんともない。君も一流の女優をめざしているのなら、演技でもいいから一世一代の乱れ方をするべきだった。役者とはそういうもんだ……もっともこれは事をすませてしまった私の詭弁《きべん》だと思ってくれても一向にさしつかえはないが」

小西はそれだけいってさっさと玄関に向かった。ドアを開けざま、

「さっき君は才能という言葉を使ったが、才能という点だけでいえば君には多分あるだろう。役者には華が必要だが、今の君には華はなくても少なくとも根だけはある。暗くてごつごつした根っこだ。この根からどんな花が咲くかは誰にもわからない。あるいは綺麗に化けるかもしれないし、根腐れをおこすかもしれない……とにかく自己主張をすることだ。私が憎かったらしぶとく自己主張をして芸をみがけ。そして見返してみろ。自分に納得のいく芝居ができたら劇団に戻ってこい。火車は実力主義だ――」

睨みつけるようにいう小西の顔が、ほんの少し歪んでいるように見えた。

香はぺたりと床に座りこんだ。あまりにも自分が惨めでかわいそうだった。殺したいほど

小西が憎かった。同時に、小西が訪れる前にシャワーをあびていてよかったと安堵している自分の一面に気がついて愕然とした。

翌朝起きてみると咽が変だった。

声を出そうとしたが、空気がもれる音がするだけで声にならなかった。小学校五年のときと同じだった。

小学校五年のあのとき、医師は確か、子供は神経も筋肉も柔軟だからなおりも早いが大人は別だといっていた。場合によっては数カ月、数年かかるともいっていた。

香は終日、床の上にだらしなく座りこんでいるか、ベッドの上に横になるだけの生活をつづけた。咽が渇くと生ぬるい水道の水を飲んだ。冷蔵庫のなかの飲料水は底をつき、食べられるものも米と数個のカップラーメンが残っているだけの状態だった。

窓は開けてあるが、朝夕をのぞけばほとんど無風状態に近く、頼れるのは扇風機の生ぬるい風だけで、香は相かわらず狭い部屋のなかで汗をしたたらせて暮した。

汗を流しながら部屋の真中に座り、貧乏ゆすりをつづけた。何をする気もおこらなかったが、何かをしなければこのまま自分は廃人になってしまうのではないかという恐怖に襲われた。そんな不安をわずかながらも解消させてくれる貧乏ゆすりは、香が小学校二年のときに死んだ父親ゆずりの癖だった。

香の脳裏に小西の顔が浮んでいる。

憎かった。憎かったが、いくら追い払っても小西の顔は香の頭から出ていかなかった。執拗に居すわった。

そんな自分自身に腹を立てた。腹を立てるだけの気力が残っているのが不思議だった。何もしないで自堕落に過ごしているだけの自分に。

あのときの初代と同じだ。

栄養堅パンを食べさせられた半年間、初代は香の存在や家事など一切忘れたように家のなかのことなど何もせず、毎日険しい顔をして外へ出ていった。夜遅くに帰っては一人で酒を飲んで荒れていた。

今、自分のやっていることは、そのときの初代と同じような気がした。もし自分に子供がいたら、初代と同じ態度をとるのだろうか。

香の脳裏に小学校五年のとき、たった一度だけ会った白石の顔がぼんやり浮んだ。父親とはまったく違うタイプの男だった。白石を紹介されたとき、子供心にも初代は父をすてたと感じた。

白石はすらりとした線の細い男だった。そう思った瞬間、香は心のなかであっと叫んだ。白石の雰囲気が小西に似ているのに気がついた。そっくりだった。香は初代が選んだ男とまったく同じタイプの男を好きになっていた。

香は床の上に立ちあがり、シャワールームに向かった。鏡に映った顔は当時の母の顔に酷似して険しかった。そっくりに見えた。香の両目に涙が滲んだ。涙はぽろぽろと頬を伝ったが泣き声は出てこなかった。

次の日の午後、香は六日ぶりに表に出た。ゆっくりと歩いてミユキマートに向かった。ドアを押して店のなかに入ると、ちょうど雑誌の棚の整理をしていた治子と目が合った。

「いらっしゃい香さん……」

という治子の顔に驚きのようなものが浮んだ。

香はわずかに頬を崩し、入口に置いてあるかごを手に陳列棚の間をゆっくり歩いて無造作に商品を選んでいった。部屋の冷蔵庫はカラッポだった。買わなければいけないものばかりでかごのなかはすぐに商品であふれた。

山盛のかごを持ってゆっくりとカウンターに向かって歩いた。幹郎はカウンターのなかのイスに腰をかけ、ノートを開いて何か調べものをしているようで香には気がつかない。カウンターのなかを覗きこむように見る香の目に、イスに腰をかけている幹郎の両足が小刻みに震えているのが映った。貧乏ゆすりだ。父親ゆずりの香と同じ癖だった。急に胸のなかに温かなものがあふれた。

「幹郎さん、お客さん」

雑誌の整理をしていた治子から声が飛んだ。

ようやく香に気がついた幹郎が、

「いらっしゃい――」

といってから一呼吸おき、

「どうしたんですか香さん……病気ですか」

心配そうな表情を浮べて香の顔を見た。

香の目に涙が滲んだ。頰を伝った。ぽろぽろとこぼれた。幹郎の言葉が死んだ父親の声に聞こえた。

「治ちゃん」

と幹郎は治子を大声で呼び、

「ちょっとカウンターを頼むよ」

その場の雰囲気を敏感に察したらしく、治子は機嫌よく「はい」と答えてカウンターのなかに入った。

幹郎は香をカウンター脇の倉庫《バックルーム》に誘った。香はうながされるままにドアのなかに入り、部屋の中央に置いてある細長いテーブルの前のイスに腰をおろした。

どうやらここは事務室らしく壁際には店内の様子を録画しているビデオのモニターが二台置かれているのが目立った。本当の倉庫はこの部屋のもうひとつ向こうにあるらしい。

「どうしたんですか、何があったんですか」

と訊く幹郎の声は香が東京に出てきてから初めて耳にするほど真摯さにあふれたものだった。

「…………」

「よかったら話してみませんか。何の力にもなれないかもしれないけれど、それでも誰かに話せば多少は気が楽になるはずです」

話したかった。今まであったことすべてを、香は幹郎に話したかった。話したところでどうにもならないことはわかっていたが、それでも幹郎に話したかった。

香は口を開けて何とか声を出そうとしたがやはりだめだった。空気のもれる音がするだけでどんな言葉も出てこなかった。

「声が出ないんですか！」

と幹郎は叫ぶと同時に立ちあがって部屋を出ていった。すぐに厚い大学ノートとボールペンを持って戻ってきた。

香はノートを開きペンをとった。

『昨日から声が出なくなりました。精神的なショックが原因で小学生のときにも一度なっていますから、それほど心配しなくても大丈夫だと思います』

まず最初にこんなことを書いた。

「大丈夫といっても、医者にはちゃんと行ったんですか、もし行ってないのなら一緒につきそって行きましょうか」

幹郎の言葉に香は強く首を振った。

『医者には行ってませんが本当に大丈夫です。自力でなおすつもりです』

書いた通りだった。香は失声症を自分の力でなおすつもりだった。原因となった精神的なショックを自分の力で克服すれば必ず声は元に戻るはずだ。それが当面の自分の大切な仕事なのだ。強靭な神経を持って、したたかに芝居に挑戦するにはそれがいちばんだと思った。香は芝居をつづけたかった。本物の芝居をやりたかった。

「しかし……自力といっても」

幹郎は腕を組んでせわしなく貧乏ゆすりをはじめた。眉間に皺をよせている。やはりこの人はお父さんだ。香の頰がわずかにほころびを見せた。

「ううん」とうなってから「その精神的ショックというのは何なのかな。さしさわりがなければ話してくれますか」

幹郎は話題を変えてきた。

話すつもりだった。全部を話すつもりだった。

芝居のオーディションでまた端役しかもらえなかったことも、いい役をつかむために小西と体の関係を持ったことも、部屋に閉じこもった香を小西がたずねてきたことも……香はこれまでのことを大学ノートに淡々と綴った。

幹郎はあまり言葉をさしはさまなかった。香が書く様々な出来事を目で追いながら、ときには驚いた表情を浮べ、眉間に皺をよせ、そしてかすれた溜息を絶望的にもらした。

幹郎の表情は香の書く内容によって次々に変化した。それが香にはひどく嬉しいものに思えた。

一連の出来事を書き終えた香に、

「辛かったんだなあ、よく我慢しましたね。でも、これから精一杯頑張ればきっと芝居もうまくなって認められるはずです。その意気込みがあれば大丈夫です」

幹郎はこんなことをいった。

月並な言葉だと思った。しかし、その月並な言葉が胸にしみた。難しい理屈など抜きにした、優しさだけがあふれる本物の月並な言葉があるのを初めて知った。

香はうつむいてちょっと鼻をすすった。それから大学ノートに、

『私の子供のころの話も聞いてくれますか』

と書いた。

「もちろん聞くさ」

幹郎はくしゃっとした顔で大きくうなずいた。

子供のころ……大好きだった父の死、その後、小学校五年生までの母と二人きりのそれでも幸せな生活、浜名湖に一泊旅行をして母親と白石の関係を偶然夜中に垣間見て驚き、失声症になったこと……。

そして、多分そのことが原因で母と白石の再婚話がうまくいかなくなり、母親が荒れたいきさつ、半年間、毎日毎日あの栄養堅パンを食べつづけた話まで……。

香は胸のつかえを残らず吐き出すようにして大学ノートにぶつけた。

ノートに文字を綴りながら香は時折焦りのようなものを感じた。筆談は言葉の会話のようにスムーズに流れない。時間がかかりすぎた。言葉なら阿吽《あうん》の呼吸ですませられることが文

字ではそうはいかない。すべてを説明しなければ前に進まない。そんな状態がつづいた。

子供のころの説明を半分した時点で時間はすでに二時間近くたっていた。

『時間が長くなっていますが、お店のほうは大丈夫なんですか』

と心配の言葉を書きつらねる香に、

「そんなことは心配する必要はありません。時間なんて無限にあるものですから」

幹郎は手を振ってとりあわなかった。

最初のころは淡々と文章を書いていた香だったが、時間がたつにつれ必死になった。文字も乱れ、手もだるくなってきた。それでも書いた。あらゆることを詳しく幹郎に伝えたかった。

言葉とは何とありがたいものだろうと、香は初めて思った。無口を理由に、その言葉を自分は粗末に扱ってきた。ちゃんとした芝居ができないのも当り前だと思った。声が出なくなったのは芝居の神様の罰だとも思った。言葉は芝居の基本なのだ。その基本をないがしろにして芝居を甘く見てきた自分への罰……。

香は小西のいっていた路上パフォーマンスをやるつもりだった。言葉を忘れた恥ずかしがり屋の自分にどれほどのことができるか見当もつかないが、とにかく路上に立って何かをし、道行く人の容赦のない視線をあびるつもりだった。あびつづければ何かが変る。何かがつかめる。そうすれば自然に言葉も出てきて、失声症もなおるような気がした。

すべてを書き終えたころには夕方になっていた。

「家を飛び出したあと、お母さんのところには一度ぐらい帰ったのですか」

筆談が終ったあと、幹郎はまずこういって香の顔を見た。

『一度も帰ってはいません』

弱々しい文字だった。

「本当は……一度ぐらい帰ったほうがいいんじゃないのかな。香さんももう立派な大人ですから、その当時のお母さんの気持がわからなくもないでしょう」

『それはそうなんですが――』

曖昧な言葉を並べながら、母親の大部分を許している自分を香は感じていた。自分にしても母の初代と同じようなことをしているのだ。初代が白石を好きだったように、自分も妻子のある小西を忘れられないでいる……同じだとは思ったが、まだ完全に母を許せない自分が心の奥にいることも確かだった。

「いろいろ辛いことがあったのはわかるけど、それでもたった二人きりの親子なんだから、やっぱり……」

といってから幹郎はほんの少し言葉を切り、

「そういえば香さん、小西さんとかいう人がいってた路上パフォーマンスをやる覚悟だって書いてましたけど、いったいどんなものをやるつもりなんですか、香さん、声が……」

幹郎はそこでふいに言葉を止めた。

そうなのだ。声の出ない自分にいったいどんな選択肢が残されているのか。香にも見当のつかない深刻な課題だった。

『まだわかりません。何ができるかじっくり考えてみますが、とにかく絶対にやらなければいけないことは確かですから。みんなの冷たい視線を目一杯あびて、思いきり恥をかかなければ私は自分を乗りこえられませんから。視線が垢となって私の体中に何重にもこびりつくまでやるつもりです……そうでないと私は生れかわることができません。声が出ないのもそのときはきっとなおると思います。できれば明日からやりたいんです』

「……大変すぎますねえ」

幹郎は腕を組んでまた貧乏ゆすりをはじめた。

『それで、申しわけないんですけど堀さんにひとつ頼みがあるんです』

「…………」

『駐車場の一画を貸してほしいんです。ここをパフォーマンスの舞台にしたいんです。迷惑はわかっていますが何とか――』

香はできる限りていねいな文字をノートに綴ってから、すがるような目を幹郎に向けた。

「お安いご用です。好きなだけ、好きな場所を使えばいい。どんな莫迦騒ぎをやってもらっても私はいっこうに構いませんから」

香の肩がすとんと落ちた。思いきり頭を下げた。ありがたかった。この場所ならどんな冷たい人の視線でも耐えられる気がした。

「どんな芸を見せてもらえるのか楽しみですね。でも、切羽つまっていたたまれなくなったら遠慮なく店のなかに逃げこんできてください。無理もほどほどにしておかないと」

『はい』と心のなかで叫んで頭を下げた。

突然幹郎が立ちあがって店につづくドアを押して外に消えた。しばらくして、両手に一杯の冷えた缶ビールと酒のつまみを持って戻ってきた。治子も一緒だった。

「香さん、ビールぐらいは飲めるのかな」

事の展開に驚いたようにうなずく香を確認して、

「香さんは生れかわるんです。明日から今までの殻を破って蛹《さなぎ》から蝶になるんです。だからみんなで乾杯しましょう」

幹郎は楽しそうな声をあげて治子を見た。

「でも店長、これからお客さん増える時間帯ですよ。そんなときにお酒のにおいをさせて応対していいんですか」

「いいんですよ。どうせうちはやる気のないヤクザな店なんだから。こういうことがあるから長い人生耐えていけるんです」

「それもそうですね。ま、いいか」

と治子もテーブルの缶ビールに手を伸ばすが、視線はしっかり店内を映し出しているビデオのモニターから外さない。

声を忘れた薄情な咽に冷たいビールは心地よくしみた。こんなビールなら何杯でも飲めると香は思った。

「生れかわるって香さん、いったいどんな人間に生れかわるつもりなの、今でもけっこう魅力的なのに」

事情を知らない治子が訝しげな声をあげた。

香はビールを飲む手を休め、ほんの少し考えてからボールペンをとった。

『……本物の大人の女です』

とノートに書いた。最後の文字がかすれていた。ボールペンのインクはほとんどなくなっていた。

その文字を横目で睨んで幹郎がまた立ちあがり、ドアを開けて店のなかに消えた。戻った幹郎の手にはあの、栄養堅パンが抱えられていた。香をじっと見た。香の手許にある大学ノートにふっと手を伸ばして幹郎はボールペンを手にした。

『ひと口、食べてみませんか』

ノートの端にインクの乏しい小さなかすれた文字が綴られた。

奇妙に優しさのあふれる情感のある文字だったが、香は反射的に首を振っていた。

ゆっくりと幹郎が口を開いた。

「香さんは五年生のとき、お母さんがあなたをすててこのパンを食べさせつづけたと書いていましたが、私は違うと思います。あなたのために再婚話がだめになり、その仕返しでこのまずいパンを与えたとも書いていましたがそれも違うと思いますよ。確かにお母さんは再婚話がだめになって当時荒れていた。香さんのこともある程度はすてていたのかもしれない。

でも全部じゃない。九十九パーセントはすてていたとしても残りの一パーセントはしっかり香さんのことを考えていた。その証拠がカルシウムとビタミン入りのこのパンです」

幹郎は真直ぐ香の顔を見て、淡々と言葉をつづけた。

「本当にあなたのことを考えてないのなら、甘い菓子パンや普通の食パンを与えておけばそれですむはずです。それをあえて栄養はあるが、あまりうまくないこのパンを与えたのはお母さんの最後の愛情だと思います。申しわけなさです。本当の親というのは……子供に対して口あたりのよいおいしい食べ物よりも、まずくても栄養のあるものを食べさせようとするもんです。私はそう考えます。お母さんは決して香さんを見すてたわけじゃない」

本当の親なら、まずくても栄養のあるものを子供に食べさせようとする……そうかもしれないと香もふと思った。食べてみようか。ゆっくりと手を伸ばしパンをほんの少しちぎってみた。口にいれてみた。やっぱりまずかったが奇妙に懐しい味がした。

「さあさあ飲も飲も、香さんも一気に」

大きな声をあげて治子が香をせきたてた。治子は完全にモニターに背を向けていた。

次の日の夕方、香はゆったりとしたジーンズにTシャツ姿で、ミユキマートの駐車場の端っこに立っていた。いちばん人通りの激しい時間帯だった。いよいよパフォーマンスのはじまりだ。

昨夜香は一晩中かかって何をやろうか考えてみた。声が出ないので寸劇や歌は無理だった。

踊りは得意ではなかったし、いちばん可能なのはパントマイムぐらいだがむろん香にそんな芸はない。

香は途方にくれた。これほど自分に芸がないのを思いしらされたのははじめてだった。

絶望的な溜息をつく香の脳裏に一計がひらめいたのはそれから一時間ほど後だった。そうだ、ラジオ体操だ。あの中年のサラリーマンたちが、ミユキマートの駐車場でやっていた奇妙なラジオ体操。あれだけの芸はないが工夫をこらせば何とかなるかもしれない。

多分嘲笑されるだろうがそれでいいと香は考える。道行く人の冷たい視線をあびるのが自分の仕事なのだ。嗤われ、白い目で見られていくうちに、役者としての度胸もつく。人の視線を垢にしてコヤシにすることだ。

何といっても自分は初心者、いざとなったらジーンズをおろせばすむことだ。注目だけはされるにきまっている。

駐車場の端に立った香の顔は恥ずかしさで真赤だった。心臓はものすごい音で鳴り響き足が震えた。頭のなかは真白《まっしろ》だ。ちらりと後ろを振り向くと、店の前に幹郎が心配そうな表情で立っていた。

香はぎこちなく手足を動かしはじめた。なるべくコミカルに間の抜けた動作で……道行く人が香を眺めていくが立ち止まる人はいない。薄笑いを浮べるか冷たい視線を投げかけるかどちらかだった。

まだ初日、芸をみがくのはこれからだ。

数人の子供が足を止めた。香の動きを熱心に目で追ってくる。やがて一緒になってぎこちなく手足を動かしはじめ、それからゲラゲラ笑って走り去った。

いつかは大人たちの足を止めてやる。恥ずかしさに頬を染めながら、香は歯を食いしばって手足を奇妙な格好でゆらゆらと動かす。一通りの体操がすむと、また初めからチャレンジだ。噛え噛えと香は手足を動かす。

後ろをゆっくり振り返ると店の前に幹郎がまだ立っていた。目が合った。微笑んでいた。幹郎はゆっくりと拍手をした。ほんの少し心が軽くなった。この分でいけば失声症も必ずなおる。そのときは第一声を何と叫ぼう。

幹郎の笑顔を目に焼きつけながら、そうだあれにしようと香は思った。あれしかない。幹郎はかけがえのない香の父親がわりだった。

香は顔を赤く染め、むきになって手足をぎこちなく動かしつづけた。

第五話　あわせ鏡

どうしても入れなかった。

克子は『ミユキマート』の駐車場のすみに立つ電柱の陰にかくれて、一時間近くもガラス越しに店のなかを凝視していた。

カウンターのなかに立っているのは、実質的にこの店を取りしきっている、しっかりものの治子だ。あの女だけは苦手だった。無意識に視線をそらそうとしたとき、入口のドアが開いて中年の男が一人出てきた。店のオーナーの幹郎だった。言葉たくみに克子が騙《だま》した当の本人だ。

電柱の陰に克子はぴたりと身をよせる。

幹郎は伸びをするような仕草で、晴れ渡った冬空を眺めてから肩を少し落とし、小さな駐車場を横切って店の裏手に向かった。克子の口から吐息がもれて、透き通った空気に淡く染まった。

「お久しぶり。忘れてた借金を返しによってみたの。もっと早く来るつもりだったんだけど遠い所に行ってたから。オーナー、相かわらず元気そうね」

持ち前の図々しさと愛敬で、こんなセリフをぶつけて幹郎に微笑みかければすむはずなのに、それができなかった。店の前に来たとたん、金縛りにあったように動けなくなった。敷居が高すぎた。

克子は手にしていた、ちっぽけな紙キレに目を落とす。一年ほど前のコンビニのレシートだ。すぐ目の前のミユキマートのレシートだった。くっきりと打たれた１３５３０の数字は克子が踏み倒した商品の金額だった。

去年の冬まで克子は、ミユキマートに近い繁華街のバーに勤めていたのだが、生活は苦しく借金の取り立てに追われる毎日だった。ほとんどが町金融《マチキン》から借りた金で返済額は一千万近く、元金はこの半分以下だったが、とにかく利息がべらぼうに高かった。

「逃げよか」

頭を抱える克子に十年以上の内縁関係にある栄三《えいぞう》がこともなげにいった。

借金のために二人が逃げるのはこれが初めてではない。十度近くあった。そのたびに大阪、名古屋、広島、福岡……日本中の都市を転々として、ほとぼりがさめかけると東京に戻ってきた。

といっても克子が生れたのは東京ではない。青森県の津軽にある小さな農村だった。そのせいなのか、夜逃げをしても克子は一度も東北には足を向けようとしなかった。

「克ちゃん、まだかいね」

すぐ後ろで栄三の声がした。

近くの喫茶店で待ってくれるようにいっておいたのだが、しびれをきらして様子を見にきたらしい。

「なかなか、入るきっかけがつかめなくて」

「きっかけみたいなもん、あるはずあらへん。最初から返すつもりのない借金や。どうしても返したかったら、恥かくつもりで平身低頭するよりしゃあない」

大阪生れの栄三は妙に頑固なところがあり、どこに住んでも関西弁で通している。直す気などさらさらないようだ。

「大体、一年も前に踏み倒すつもりでこさえた借金を、なんで今頃になって返さなあかんのや。わいにはそのへんの克ちゃんの気持がまったくわからへん」

「それは」

といいかけて克子は口をつぐんだ。

栄三に説明する言葉が見つからなかった。今まで借金の踏み倒しなど数え切れないほどやっていたが、後になって返そうと思ったことなど一度もない。今回だけだ。それがどこに起因するものなのか、克子自身にもよくわからないのが本音だった。

あえていえば、ミユキマートの持つ独特の温かさのようなもの……時がたつにつれてこの店だけは裏切ってはいけない、そんな思いが胸の奥で疼《うず》くようになった。

あれは、借金で身動きができなくなって二人で東京を逃げ出す直前のこと、ほんのできごころからおきたことだった。

克子はミユキマートに立ちより、行きがけの駄賃ほどの気持で、

「今夜、お店の女の子の誕生パーティーがあるから——」

酒類からつまみ類、スナック菓子から弁当の類まで大量の商品をかごに入れ、カウンターの幹郎の前に差し出した。金を払うときになって財布のなかを覗きこみ、あっと叫び、

「銀行でおろしてこなきゃいけなかったんだ。すっかり忘れてた」

情けなさそうな顔で幹郎を見たのだ。

少しでも嫌な顔をされたら商品を置いてさっさと帰るつもりだったけれど、この店だけは簡単に騙せる自信があった。

「いいですよ。今度来るときに払っていただければ。知らない人じゃないんですから」

幹郎はそういって、レシートだけを克子に渡してくれたのだ。

このすぐあと、克子と栄三は東京駅から西に向かってあてもなく旅立ち、結局大阪に腰を落ちつけて克子はお定まりのバー勤めを始めた。三カ月ほどして何気なく財布の奥を覗いてみたらミユキマートのレシートが出てきた。すてきれなかった。

「妙な仏心出すよりも、いつものようにうっちゃっておいたほうがいいんやないか。今頃返しにいっても、お互いに嫌な思いをするだけと違うか」

しんみりした口調で栄三はいい、そっと肩をたたいた。

「わかったわ。今日はとにかく帰って、また出直すことにする」

「それがいちばんや。懐しさもあってわいも一緒についてきたけど、こんなとこをマチキンの人間に見られでもしたらえらいことになる。なんせバックはヤーサンやからな、何されるかわからん」

おどけた表情でいって栄三はひょいと首をすくめて見せた。克子より三つ年上の四十八歳で、短く刈った髪の毛にはかなりの白髪が交じっている。ごわごわした硬い髪だった。


「克子さん、そちらお願いね」

テーブル席からママの文子《ふみこ》の声がカウンターに向かって飛んだ。

川越市の繁華街の外れにある、カウンターとテーブル席が一つだけのやたら照明の暗い『ミモザ』という名のちっぽけなスナックだった。週末になるとアルバイトの女の子が一人来るが、いつもはママの文子と克子だけだ。

入口に目をやると石橋《いしばし》が立っていた。カウンターの端に遠慮がちに座り、克子の顔をじっと見て、

「ビール。それにいつもの焼きうどん、お願いします」

克子はおしぼりを出し、グラスと簡単なおつまみを石橋の前にそっと置く。

「久しぶりじゃない石橋ちゃん。仕事忙しいの、それとも他の店で浮気」

久しぶりといっても石橋がこの店に顔を出すのは精々《せいぜい》週に一度、注文するのもビール一本

に焼きうどんといつもきまっている。店にしたら金にならない客だった。だからママはほとんど石橋の相手はしない。

「毎日でも来たいんですが、何せこの不景気で先立つものがままならないですから」

石橋はこの店の近くで印刷所を経営している。軽オフセット印刷の二色刷機が一台あるだけの、自宅と仕事場をかねた小さな印刷屋で、名刺や案内状、簡単なチラシなどの仕事を一人で受けていた。

年齢は確か五十二歳、八年ほど前に奥さんをなくして現在は独り身のはずだ。二人いた娘さんも嫁いでいなくなり、大きくはないが二階建ての家に一人きりで住んでいる。

ママの文子によれば、

「あの人が週に一度ぐらいの割で店に顔を覗かせるようになったのは克子さんがここに勤めるようになった二カ月ほど前から。それまでは月に一度来ればいいほうだったんだから。あれは確実に克子さんがお目当て」

克子自身は石橋からそんな印象を受けたことは一度もない。もの静かで礼儀正しい男だった。しかし今夜は様子がいつもとは違う。急いで作った焼きうどんにもなかなか箸を伸ばそうとしない。思いつめたような表情があった。

「克子さんは当然、ご主人はいらっしゃるんでしょうね」

いきなり抑揚のない声が響いた。

克子の脳裏に栄三の顔が浮んだ。

あれが私の主人なのだろうか。ろくに働きもしないで迷惑ばかりかけて。それに第一、籍だって入っていないのだ。

「いないわよ、そんなもの。そりゃあ今までいろんなことはあったけど、ちゃんとした亭主がいたら、こんな年になってこんな店に出てるわけないじゃない」

石橋の両目に熱いものが走ったような気がした。牡《おす》の目だった。一瞬、呆気にとられた克子は、その直後に鳥肌が背中に立っているのを感じた。初めて石橋に男を感じた。狼狽《ろうばい》した。

「石橋ちゃん。せっかく克子さんが腕によりをかけて作った焼きうどん、ほっといたら冷めちゃって、まずくなっちゃうわよ」

狼狽をかくすようにまくしたてた。

「そうですね」と石橋は箸を手にしてから、

「近頃、目覚時計を二つかけるんですよ。以前はそんなものなしで起きられたのに」

いっている意味がわからず、克子は視線を宙に漂わせた。

「夜がね……恐いんですよ。布団《ふとん》のなかに入って眠ってしまったら、そのまま目が覚めないんじゃないかという気がして。朝になっても目が開かないんじゃないかと思ってね」

「まだ、そんな年では……」

「二年前に下の娘を嫁に行かせてから、何となく生きるハリというか気力がうせてしまいましてね。すっかり老いてしまいました。だめですね、一人暮しというのは」

石橋はようやく箸を動かしはじめた。それも猛烈に速く。まるで何かの思いを克子の作った焼きうどんにぶつけるような荒っぽい動作だった。

五分ほどで食べ終えた石橋はグラスに残っていたビールを一気に飲みほして、ふうっと重い吐息をもらした。

「充分に元気じゃない。どこが朝、目が開かないのよ。ああ莫迦《ばか》らしい、心配してソンした」

「あの……」

と石橋は克子の言葉を無視してかすれた声をあげた。

「一度、外で逢《あ》ってもらえないでしょうか。食事でも……もちろん食事だけで他意はありません」

「あっ」と克子は小さく声をもらした。

何と答えたらいいのか。とっさのことでもあり、克子の頭は混乱した。水商売にいる以上、男から誘われることなど珍しいことではなかったが、それは目的がひとつに限られていた。

だが石橋の場合は……。

テーブル席からママの文子の何か叫ぶ声が聞こえ、どっと歓声があがった。

どうせまた、文子のいつものシモネタ話がはじまったに違いない。テーブル席の客は四人、常連客ばかりで、すぐ近くの工務店で働いている作業員たちだ。

文子はすでに酔っぱらっているようで、

「女のパンツをどう脱がすかが男の甲斐性なのよ。一度脱がすのに成功すれば、それから先は女のパンツなんて飾りものと同じ。薄汚れたびらびらを引き立たせるための単なるアクセサリーよ」

いつもなら、こんな言葉のやりとりなど何とも感じないのに、今夜に限って変に気恥ずかしい思いに克子はとらわれた。

「たとえパンツ一枚でも、身につけてないと冬はこたえますよね、年寄りには」

真面目な口調でふいにぼそっという石橋に、克子は不思議な安堵を覚えた。

「明後日なら休みだからあいてるわ」

自然に口からこんな答えが出た。

石橋の表情に熱が加わった。

「じゃあ、お昼の二時。ちょっと遅いけどそれから食事をしましょう。夕方までにはきちんとアパートに戻れるようにしますから」

下心がないことを伝えたかったのだろう、石橋は昼という言葉を強調した。夜の勤めをしている克子にはもう少し遅いほうが楽なのだが、帰りにミユキマートに行ってもいいかと考えて承諾した。

テーブル席からカラオケにあわせて怒鳴るような演歌が聞こえてきた。いつもならうるさいだけのカラオケが、今夜はいやに気持よく聞こえて胸の奥をしめつけた。

一時過ぎに寒さに震えながらアパートに戻ってみると、栄三がまだ起きていた。

「お勤めご苦労さんやなあ。どうや、お茶漬でも食べるか。すぐ用意できるけど」

栄三がこんな優しい言葉を出すときは、大抵がギャンブルですっからかんになって次の軍資金をねだるときだ。確か今日は朝から競馬に行っていたはずだ。

「あんなあ、わい、金がなあ」

「わかってる。あとで出してくから」

克子はすとんと畳の上に尻を落とした。

栄三は定職を持たない男だった。

毎日何をしているかといえば、麻雀、パチンコ、競馬……たまに出張と称して数日家をあけることがあったが、そんなときは何がしかの金を懐にして帰ってきた。伝手《つて》を頼りに倒産品の横流しのようなことをしているらしかった。いずれにしてもまっとうな商売でないことは確かだった。

借金を抱えて何度も夜逃げをするはめになるのも、栄三の度を越したギャンブルのせいだ。栄三には小狡《こずる》いところがあり、借金をするとき決して自分の名前は出さず、必ず克子に借りさせた。

「半端な金で男を下げるのはごめんや。わいが金を借りるときは億単位のときや」

そんな理屈にもならないことをいつも口にしていた。

麻雀の借金の肩代りに、克子は見知らぬ男に抱かれたこともある。

ちょうど栄三と暮しはじめて半年ほどたったころのことだ。東京から広島へ夜逃げをした直後で金のないときだった。そんなときに栄三は儲けてくるからといって、なけなしの金を元手に雀荘に出かけていったのだ。

夜遅くに青い顔をした栄三が五十過ぎの太った男と一緒にアパートに戻ってきた。男は克子を上から下まで睨《ね》めつけ「よっしゃ」と叫んだ。

当時克子は三十三歳、容姿にはまだ自信のあるころだった。

「負けてもうた。金あらへん。一晩だけ目えつぶってこん人に抱かれてくれ」

栄三は克子の前に這《は》いつくばった。

不思議に動揺はなかった。水商売で生きてきた女のしたたかさだけは持ちあわせていた。ただ腹が立った。悲しさと裏表の腹立たしさだった。

「ええよ」

栄三を見おろして蓮《はす》っ葉《ぱ》に答えた。

その場から近くのラブホテルに連れこまれ、男は一晩中克子を攻めた。しつっこい男だった。薄くなった頭髪にしみこんだ養毛剤のにおいが、体中にまとわりつくようで気持悪かった。太った体のにおいも強かった。

解放されたのは次の日の昼だった。克子はホテルのバスルームにこもり、嫌になるほど歯を磨いて赤くなるほど体をこすった。ちぢこまって浴槽に体を沈めているとき吐き気が襲った。我慢した。バカヤローと呟いた。初めて鼻の奥が熱くなった。

疲れきってアパートに戻ると栄三が這いつくばっていた。

「かんにんやで克ちゃん。こんなことは二度とせえへんから、今度だけは許したって」

栄三はずっと起きていたらしく赤い目をしていた。涙目だった。

「へっちゃら」

思ってもいない言葉が飛び出した。

いいかげんで、どうしようもない男だけど、私はこの人に惚れている。そう気づいた一瞬だった。

「わい、克ちゃんの体、清めたる」

座りこんでいる克子の体を栄三はぎゅっと抱きしめ、いきなり畳の上に押し倒した。スカートをめくりあげて下着に手をかけ一気に脱がした。

むき出しになった克子の股間にぴたりと唇を密着させ、大きく舌を出して舐め出した。

「あっ」

と克子は腰をよじった。ついさっきまで他の男に抱かれていた体なのだ。

両股を抱える栄三の腕に力が入った。抗《あらが》う克子をねじふせるように栄三は有無をいわせぬ力で舌を使った。まるで犬のような仕草だった。克子の両股から力がすっと抜けた。栄三は執拗に克子の陰部を舐め、さらに舌先を肛門にまで伸ばした。

「きれいにしたる、きれいにしたる」

栄三は忠実な犬だった。

克子の体に訳のわからない歓喜が走った。どろどろの塊が体中をかけめぐった。自分の体が際限もなく濡れていくのがわかった。

「いれて」と、叫んでいた。

栄三はすぐに反応して衣服を脱ぎすてた。

つっこんできた。二人は畳の上を転がりながら、獣のような声をあげて抱きあった。疲れはてているはずの克子の体がびりびりと大胆に震えた。この人とは離れられないかもしれない。漠然とした気持が頭の芯に浮き沈みした。

気がつくと、栄三の短い指が汗ばんだ薄い茂みをなぶっていた。指にからめたり、なでてみたり、よじってみたり。

「かあいィなあ」

つんと引っぱってから、ゆっくり体をおこし、

「これ、二、三本くれるか」

「………………」

「ギャンブルのおまじないや。昔からいうやないか。処女のあそこの毛を持ってると幸運の女神がつくって」

神妙な顔で上目づかいに克子を見た。

「……私がなんで処女なのよ。処女とはまるで反対側の泥水をくぐってきた女じゃないの。現に、ついさっきまで、あんたの借金のカタに見も知らぬ男に抱かれてきたばかりの女じゃないの。何を莫迦なことといってるのよ」

棘《とげ》のある声で睨《にら》みつけた。

「そんなこと絶対にあらへん。わいにとったら克ちゃんはいつでも処女のようなもんや。何があろうと、どうなろうと処女そのものや。綺麗でかわいい女神様なんや」

ざわっと何かが疼いた。悪い気はしなかった。

「こんなもん、作ってみたんや」

栄三はぱっと立ちあがって部屋のすみに行き、何かを手にして戻ってきた。

「ほらっ」といって克子の前に差し出した。

紙を折って作った小さな袋のようなものだった。表面にボールペンで書かれた稚拙な文字が躍っていた。『女神様の宝』と読めた。

「こんなかに克ちゃんのあそこの毛をいれて財布の奥に大事にしまっとけば、運がつくこと間違いなしや、御守《おまもり》や」

けむに巻くような、栄三一流の理屈だとは思ったが克子は何となく納得した。

「いいわよ。好きなだけ抜いたら」

ぷちっと下腹部にかすかな痛みが何度か走り、数本の毛が抜かれた。

「おおきに」

栄三は押しいただくようにしてから、そっと袋のなかに納めた。

芝居がかっていたし、計算高さも感じられたけれど、それでも克子の胸の奥にはこのとき確かに歓びのようなものがあった。

散々苦労ばかりさせられた今なら、

「何、わざとらしいことといってんのよ」

と相手になどしないのだろうが、あのころの克子はまだ充分に若かった。

この件に限らず、栄三は都合の悪いことがおこると、何かと芝居がかった気配りをして克子の機嫌をとった。

二度目に夜逃げをしたときには、

「純粋なコラーゲンの仰山《ぎようさん》入ったエチオピア産の栄養クリームや。日本ではどんなに金つんでもめったに手に入らへん代物や。こんで克ちゃんの肌はぴちぴちや」

見るからに怪しげな器に入った化粧品を克子の前に差し出した。

キャバレーのホステスとの浮気がバレたときには罪ほろぼしだといって、栄三はかなり高そうな本物のダイヤの指輪を克子にプレゼントした。だがそれから三日後、

「かんにんや克ちゃん。ホステスのバックにヤーサンがいた。美人局《つつもたせ》や。まとまった金持ってかんとえらいことになりよる」

栄三は青い顔でまくしたて、換金するからと、その指輪を克子の手から持ち去った。

多分あれは、三日と期限を切って誰かから借りてきた単なる小道具なのだろう。そうに違いないとは思ったものの、どことなく間の抜けた栄三のそんな子供っぽさが克子は嫌いではなかった。

しかし、そうした気配りも一緒に暮しはじめて三年目ぐらいから徐々に消えていき、今は

かけらも見当らない。克子にしても苦労ばかりの連続で、栄三に対する思いなど無きにひとしい。

早く別れたほうがいい。わかってはいたが、現状から抜け出す気力さえ湧《わ》かなかった。くされ縁。それに、別れられないのは、もしかしたら栄三のあのごわごわした髪のせいかもしれないと克子は真面目に思った。


石橋と約束した日、克子は大きな間違いに気がついた。

気軽に昼間会うことを承諾したが、陽の光をまったく計算にいれていなかった。

ミモザは風営法にひっかかるほど極端に照明の暗い店だった。ママの文子の年齢のせいだ。明るければ年相応の肌の衰えや皺《しわ》も見分けられるし、厚化粧も目立つ。そのために店の照明を落としているのだが、克子自身も文子と同じほどの年齢だった。

栄三は今日も競馬にでも行ったらしく部屋のなかは克子一人きり、三面鏡を覗きながら深刻に悩んだ。

水商売をしている四十なかばの盛りを過ぎた女を、真面目に食事に誘ってくれる客などそうそうはいない。できるなら楽しいひとときを過ごしたかった。久しぶりに胸をわくわくさせたかった。

だが鏡のなかに映っているのは正真正銘、生活に疲れたおばさんの顔だ。どう取りつくろっても太陽の下を大手を振って歩ける顔ではない。

一時間ほど鏡を睨みつけていた克子は、おもむろにパウダーに手を伸ばした。

いくら考えてみても厚化粧は無理だった。開き直りの気分で薄化粧にきめた。とにかく力を抜こうと思った。ありのままの自分を見せて、それで気にいらなければそれだけのことだ。そのかわり、できる限りていねいな化粧をしよう。石橋に対するそれが誠意だと思った。

克子は鏡のなかですとんと肩を落とした。年相応の素直な女がそこにはいた。懐しい顔だった。

約束した隣町の喫茶店に行くと石橋はすでに来ていて奥の席でタバコを吸っていた。

「すみません、遅れちゃって」

頭を思いきり下げた。

薄化粧にしたとたん、いつか忘れてしまっていた羞《は》じらいのようなものが体中をつつみこみ、動作も言葉つきもひかえめになっている自分を発見して克子は驚いた。

「とんでもない。まだ約束の時間の五分前です。私も今来たところです」

立ちあがった石橋は、どうぞというように克子をイスに誘った。

頼んだコーヒーがテーブルに並べられるまで、克子はうつむきかげんのまま一言も喋《しゃべ》らなかった。

「びっくりしたでしょ、おばさんで」

カップにそっと指を添えてようやくいった。

「いや、そのほうがずっといいですよ。おじさんはおじさんらしく、おばさんはおばさんらしく。そのほうがずっと喋りやすい。年相応がいちばんです」

克子の心に小さな灯りがともった。

しばらく雑談をしたあと、石橋は克子を喫茶店の近くにある鰻屋に案内した。

「しゃれたフランス料理の店のほうがよかったのかもしれませんが、どうもああいうところは苦手で勝手がわからなくて」

衝立《ついたて》で囲った座敷のすみに腰をおろしながらいう石橋に、

「私もあっちの料理は苦手――」

白焼をつついてビールを飲んだ。

「昼間の酒はよくきくっていいますが本当ですね。これなら胸にあるものを全部吐き出すことができそうです」

伏目がちに克子を見た。

「実は……」

といって瞬間石橋は言葉をつまらせ、コップのビールを慌てて咽《のど》の奥に放りこんだ。

克子は胸のときめく音を初めて自分の耳で聞いた。気持のいい音だった。石橋が何をいおうとしているかはわかっていた。最初からわかっていたのだ。自分はその心地好い言葉を聞くためにここに来たのだと思った。

「結婚を考えた、おつき合いをしてほしいんです」

予想していた通りの言葉が石橋の口から飛び出したが、克子の胸は思っていた以上の反応を示し、不整脈に陥ったようにあえいだ。

「えっ」

悲鳴じみた疳高《かんだか》い声がほとばしった。

「驚かれるのも無理はありませんが……私のような何の取柄もない男がこの年になって結婚という言葉を口にすることが出てくるなど、私自身夢にも考えていなかったことで……店にあなたが姿を現すようになってふいに、そんな思いに取りつかれてしまったんです。もちろん、きちんと籍をいれた結婚です」

四十五年間生きてきたが、結婚という言葉を克子が聞かされるのは初めてだった。同棲は何度もしたし、店に来る男たちと寝たことなどそれこそ……だが結婚という言葉を口にした男は一人もいなかった。栄三でさえも。

「むろん、すぐに返事をいただかなくてもけっこうです。じっくりと考えてみてください。ただこれだけはわかってほしいんです。私は決して不真面目な気持で克子さんに結婚を申しこんでいる訳ではありません。真面目です。真摯な気持で、これからの人生をあなたと一緒に歩いていきたいと思っています」

真面目なのは最初からわかっていた。だが、どうして場末のスナックで働く自分などを。克子にしたら大きな疑問だった。

「なぜ、石橋さんは私なんかと……」

無意識のうちに克子は店で石橋を呼ぶときにつかう、ちゃんづけをやめていた。それを知ってか知らずか、ほんの少し石橋は頰を崩し手酌でビールをコップに注いでひと口飲んだ。

「気を悪くするかもしれませんが、正直にいえば死んだ女房の面影にあなたがよく似てるんです」

「…………」

「でも誤解しないでください。女房は私の好みの女でした……つまり姿形からいけば克子さんも私の好みの女性なんです。男というのはそういうところはけっこう頑固なんです。本気で好きになるときは必ず好みの女性を目標にします」

「好み、ですか。ただそれだけで……」

「それだけあれば充分です。ひょっとしたら、好みというのもこじつけで、人が人を好きになるのに理由なんかそれほど必要ないのかも……理由がないから訳もなく幸せな気分になり、熱く燃えるのかもしれません」

そうかもしれない。しかし結婚となれば話は別だ。ただ単に好きだけでは世間は通らないし周囲を納得させることはできない。

「石橋さん、確か娘さんが二人……」

「ええ、横浜と愛知のほうに嫁いでいます。でも娘たちなら大丈夫です。娘たちが大事なのは現在の家庭で、私のいる家ではありません。好きな人がいたら結婚したらなどと、二人ともよくいってましたし。多分、おやじの面倒など見るのはまっぴらなんでしょう。だからそういうことは気にしないでください。周囲からとやかくはいわせないつもりです」

石橋はまたコップに手を伸ばし、残っているビールを一気に飲みほした。

「先日もいったように、私は目覚時計を二つもかける生活はもうまっぴらなんです。これからどれぐらい生きられるかわかりませんが、私は燃えてみたいのです。克子さんと一緒にもうひと花咲かせたいのです。もちろん私はちっぽけな印刷屋のオヤジですから、一緒になっても克子さんを床の間に飾っておくような生活はできません。でも二人なら、仕事を拡げてもいいと考えています。いざとなったら店を潰しても悔いはありません。私は生身の男として克子さんという女性と、これからの人生をともにまっとうしたいのです」

一気にいう石橋の両目は少年のように輝いていた。体全部に力があった。

「でも石橋さんは、私のことをほとんど何も知らないでしょ」

「知ってますよ、二カ月間ずっと見つづけてきましたから」

「でも、それまでの私は全然知らない」

かみつくようにいった。

「過去なんてどうでもいいですよ。若いころなら私もそんなことを気にしたかもしれませんが、年をとるにしたがって、現在生きている一瞬一瞬が大切なんだと考えるようになりました。時間は待ってはくれません。重要なのは現在のこの瞬間なんです」

克子は一瞬視線を自分の手許に落とした。

「私、銀座の一流といわれるクラブにいたこともあるんですよ」

独り言のようにぽつんといった。

「二十四のときでした。目黒のキャバレーにいたのを引き抜かれて店を移ったんだけど、半月ともたずにくび。銀座ってある程度の頭の良さがないと……経済のことや世界情勢のことを知るために、難しい新聞や雑誌にも毎日目を通さないと、お客さんとの会話にも加われません。普通の店とは客筋が全然違いますから。私は活字が苦手で、もう何が何やらちんぷんかんぷんで。みんなには高卒だっていってますけど本当は私、中卒ですし……中学校卒業して地元の食品工場に二年ほど勤めたんだけど面白くなくて東京に飛び出して、それからはずっと水商売一筋……私って多分、頭が悪いんです」

「そんなことは……」

「銀座をしくじってからは何をやっても下り坂。勤めるお店もどんどんランクが下がって、夜逃げや借金の踏み倒しもしょっちゅう。私は石橋さんが考えている以上に泥水をくぐってきた女なんです。男関係だって」

「もういいんじゃないですか、それぐらいで」

ほんの少し声を荒らげて石橋が克子を制した。

「さっきは過去などどうでもいいって格好のいいことをいいましたけど、やっぱり私も普通の男ですから」

石橋はそこでぱっと微笑んでから、

「そういう生ぐさい話は、私たちが一緒になって、もっと年を取って枯れてからの、茶飲み話の楽しみに大事にしまっておきましょう。むろん、克子さんが私の要求を受けいれてくれて一緒になれたらの話です」

やはりこの人は優しいのだ。克子は鼻の奥が湿っぽくなるのを感じた。

「そんなことより、どうせ聞かせてくれるなら、子供のころの楽しい思い出や故里のことなど話してください。克子さん、生れたのは青森県でしたよね。確か津軽の……」

村の名をいってみたが、石橋は聞いたこともないらしく頭を振った。すぐに克子は、

「わら布団って知ってますか」

奇妙な言葉を口にして石橋をじっと見た。

「私たちが住んでいた地方では冬になると、みんなわら布団を敷いて寝たんですよ。農家は板敷が多かったから冬はものすごい寒さで、とても普通の布団で眠るのは無理。お金持は分厚い布団を敷けばすむけど、貧乏人にはそんなお金はないし、そこで考えたのがわらを利用した布団なんです」

使うのは十一月から春の訪れる四月中旬までの約半年間だった。布団カバーのなかに、よく乾燥させたわらをすきまなくつめこんだもので、厚さはおよそ五十センチにもなった。保温性は抜群で、板間でもこれを敷けば凍えるような寒さも充分に防ぐことができた。貧しい北国で、ぎりぎり冬を乗りきるために生れた生活の知恵だった。

「カバーのなかに、ぎゅうぎゅうづめにわらをつめこむには、かなりのコツがいるんだけど、そこは年季の入ったじいちゃんや、ばあちゃんたちの仕事だから。子供たちは布団が出来あがるのをきらきら光る目で見て」

「楽しそうですね。いいなあ、そういう胸を打つようないい思い出は」

「その夜はみんな寝るのが待ち遠しくて。布団のなかにすぽっと体を横たえると太陽《ひなた》のにおいがするんです。わらが陽の光を目一杯吸ってるから。でもひとつだけ困ったことがあるんだけど、何だかわかりますか……音がね、うるさいんです。わらだから頭を少しでも動かすと耳許《みみもと》でがさごそ、あれがなければ」

といって克子はふいに口をつぐんだ。

栄三の顔が浮んでいた。わら布団の思い出はどうしても栄三につながってしまう。太陽《ひなた》のにおいとわらの音……。

「どうかしましたか」

訝《いぶか》しげな表情で石橋が見ていた。

「いいえ」と克子は短く答えてから、

「楽しい思い出だけど、本当は貧しさが元になった悲しい話なんですよね……お金さえあれば何もわら布団なんて作らなくても。ちゃんとした布団が買えるのに」

「過ぎてしまえばみんな懐しい思い出です。まして子供のころの思い出は宝物と同じです。そんなことといってたらばちが当りますよ」

石橋は顔をくしゃりと崩して笑い、ビールをとって克子のコップにたっぷりとついだ。

その日の夕方、石橋と別れた克子はミユキマートへの道を急いでいた。今日こそ踏み倒した借金を返すつもりだった。

心の半分が異様に昂《たかぶ》っていた。結婚という言葉、自分がこれほどこの二文字に憧れていたとは……。

石橋とはあれから一時間ほど一緒にいた。様々な話をしたけれど、結局栄三のことだけは打ちあけられなかった。話せば結婚の二文字はその場で消える。栄三がすんなり克子と別れてくれるとは到底考えられなかった。金づるである克子を手放すはずがないのだ。

それならそれで、もう少しだけ結婚という二文字の余韻を楽しみたかった。ただ単に答えを先延ばしにするだけのことだが、それでもよかった。たとえほんの少しでも嬉しさの余韻を長つづきさせたかった。心の半分は悲しさそのものだった。

ミユキマートの駐車場脇の電柱の陰から、克子は店のなかをうかがった。

客が数人いるのがわかったが、治子の姿は見えなかった。治子につかまればただではすまないはずだ。必ず諍《いさかい》になる。それだけは避けたかった。カウンターのなかに入っているのは幹郎だ。克子は決心を固めた。一気に駐車場を横切り、入口のドアを開けた。

「あっ」と声があがった。

治子だ。しゃがみこんで雑誌の整理をしていた。目が合った。

何かをいいかける治子を制するように「あっ、克子さん。久しぶりですね」と声を出して幹郎がカウンターから飛び出してきた。

「どうしたんですか突然いなくなっちゃって、ずいぶん心配したんですよ」

のひまな店ですから」

「それはちょっと遠いですね。でも時間があったら遠慮なく遊びにきてください。見た通り

「川越なんだけど……」

「で、また、こっちのほうへ」

消えいりそうな声を出した。

「大阪のほうへ……」

幹郎はやつぎばやに言葉をくり出した。どうやら治子に何も喋らせないつもりらしい。

「あの」という克子に、

「はい、これで再会のセレモニーは終り。克子さんは今日からまたこの店の大切な常連さんです」

幹郎はぱんと両手をたたいて、

「ところで今日は何がいり用ですか」

あっと克子は胸のなかで叫んだ。

幹郎は去年のあの件をなかったことにしようとしている。克子の踏み倒しを不問に付そうとしているのだ。そう思った。なかったことにして克子の気まずさを取りのぞき、八方丸く収めようとしている。幹郎特有のいつもの優しさなのだ。ありがたかったけれど、今日だけは的はずれだった。克子はきちんと借金を払いたかった。あのときの自分とは違う。しかし、

「近くに来たのでよってみただけ。懐しかったから。オーナーの顔も見たかったし」

こんな言葉しか出てこなかった。

「ありがとうございます。ちょっと遠いですが、本当にいつでも遊びに来てください。それに、何か心配事があるのなら、いつでも相談に乗りますから。遠慮しないで」

一年前と同じ顔で微笑んだ。

「じゃあ」

と克子は足早にドアに向かった。背中に治子の強い視線を感じた。胸の鼓動が情けないほど速く打っていた。

アパートに戻ると十時を過ぎていた。

「なんや克ちゃん、どこ行ってたんや。連絡も何にもないから心配しとったところやで」

顔を覗きこむように栄三がいった。

「ちょっと町をぶらぶら」

「そうか……めしはどうするんや」

「食欲ないから、いらないわ」

疲れがどっと出ていた。石橋の件とミユキマートの件、嬉しさと情けなさの混じりあった微妙な感覚が体中をよぎる。いろんなことがありすぎた。

「様子、変やな。何かあったんと違うか」

また顔を覗きこまれた。

「……ミユキマートに行ってきたのよ」

うっとうしくなってぼそっと答え、克子は手短にその様子を栄三に話して聞かせた。

「そうか。オーナーはなかったことにしようとしたのか。なかなかできんこっちゃ、立派なオーナーや。けど、治子とかいう店員とかち合ったのはまずかったな。気の強そうな女やから、警察沙汰になったかもしれんな」

「気が強いというより、しっかりしてるだけ。オーナーが人が好すぎるから必死になって店を守ってるだけで警察沙汰なんて。私とは正反対の性格だから合わないだけよ」

「まあ、いずれにしてもこれで気がすんだやろ。めでたく一件落着や」

とたんに克子は強く首を振った。

「私はまた返しに行くから」

「また行くって……」

「今度はオーナーじゃなく治子さんに会ってお金を返し、きちんと謝ってくるつもり」

克子の脳裏に石橋の顔が浮んでいた。こんないいかげんな女に結婚を申しこんで、一時の夢を与えてくれた男……石橋のためにも、あの借金はきちんと返して謝らなければ。せめて石橋との結婚話が消えるまでは、克子はちゃんとした女でいたいと思った。

「克ちゃん、やっぱ今夜はおかしいわ。他にもなんかあったと違うか」

栄三が上目づかいに見ていた。何かを察したような目だ。石橋との件がばれるはずはなかったが、博打三昧《ばくちざんまい》にあけくれる栄三特有の勘のようなもの。

座りこんでいる克子の腰に、後ろから栄三が両手を回してきたのはすぐだった。両の乳房を揉みあげるようにしながら項《うなじ》のあたりに唇を押しつける。栄三は克子の行動に不審を覚えると、必ずこうして性急に体を求めた。

「やろか克ちゃん、わい淋しいんや」

乳房をぎゅっと乱暴に握りこんだ。

瞬間、克子は逃げるように腰を引きかけた自分の動作をかろうじて抑えた。へたに拒めば栄三は必ず邪推する。素直に応じれば丸く収まるのはわかっていたが、石橋と会った今夜だけは拒絶したいのが本音だった。

畳の上に倒されて唇をふさがれた。すぐに舌が割って入り、口のなかをかき回された。手はスカートの奥の敏感な部分をまさぐっている。栄三の唇が克子の口から離れ、首すじに移った。熱い息が耳にかかる。唇が動き、克子の耳に栄三のごわごわした硬い髪の毛が密着した。懐しい音がすぐそばで聞こえた。

津軽の音だ。栄三の硬くて短い髪の音は、あの子供のころに敷いて眠ったわら布団の音にそっくりだった。脂気のない洗いっ放しの短い髪の毛からは、確かに太陽《ひなた》によく似た香ばしいにおいが漂っていた。

栄三が動くたびに、わら布団の音は強くなったり弱くなったりして克子の耳を刺した。帰りたかった。飛び出してから頑《かたくな》に背を向けて一度も帰ろうとしなかった津軽の音。栄三と別れられない本当の理由はこの音のせい……そんな気がしてならなかった。克子は両腕を栄三の背中にしっかり回した。

「克ちゃん」

と栄三が顔を離して克子を見た。怖い目だった。

「浮気はいいけど、本気はあかんよ」

重い声でいってから顔だけで笑った。

石橋は体を震わせながら店のなかに飛びこんできた。

「霙《みぞれ》ですよ。もう三月だっていうのに」

いつものようにカウンターの端に腰をおろし、心配そうな表情で克子をうかがった。鰻屋で話をしてから二日が過ぎていた。

「いらっしゃい石橋さん。いつものようにビールと焼きうどんでいいかしら」

笑いかけるとようやく落ちついたのか、

「お願いします」

いつもの口調でいって神妙に頭を下げた。

夜の十一時を回っていた。

ママの文子は今夜もテーブル席で数人の男たちの相手をしている。サラリーマン風の男たちで他に客はいない。ずいぶん盛りあがっているようで、すでに二本目のボトルの底がつきかけていた。

「克子さん、アイスミネお願い」

文子の声に、克子は素早く氷とミネラルウォーターをセットしたトレイを用意する。ふわっと立ちあがって、カウンター越しに受け取る文子の足がほんの少しよろけた。かなり出来あがっているようだ。

「あら石橋ちゃん、今夜も克子さんをくどきに来たの、そんなにやりたいの」

ぽんと石橋の肩をたたいてテーブル席に戻る文子の背中に「ママっ」と克子は声をぶつける。

「いいですよ克子さん。ママのいう通り、私はそのためにここに来てるんですから」

じっと見つめてきた。やはり牡の目だった。

「克子さんと会ってから、目覚時計を枕許《まくらもと》に置かないようになりました。何も置かなくてもちゃんと起きられるようになりました。妙なもんですね人間って。好きな人と会って話をするだけで、これだけ気分が高揚するんですから。これでもし本当に結婚なんてことになったら……」

「石橋さん」

と克子はできる限り素直な声を出した。

「例の件はもう少し考えさせてくれる？　私のような女がわがままいって申しわけないんですけど」

「もちろんです。どれだけでも待ちます。どうぞ遠慮しないでじっくり考えてください」

石橋の言葉を聞きながら克子は心のなかで手を合わせた。いくら待ってもいい返事などはできないのだ。ただ克子自身が、結婚という言葉に酔いたいだけの待ち時間。嫌な女だと思ったが、束の間の幸せにもう少し克子は浸っていたかった。

「待つというのもなかなか楽しいものです。ひょっとしたら男と女の関係のなかではいちばん楽しいときかもしれません。結論が出てないからどんな楽しい想像もできますし。イライラドキドキと、様々な結果を想定して気持を昂らせることもできます。特に私のような年のいった人間にとっては、これはとても新鮮で嬉しいひとときです。まさに恋なんです。まさか、この年になって恋ができるなんて思ってもみませんでしたよ」

「恋……」

「そう。恋なんです。私たちの年代にはとても気恥ずかしくて、簡単には口に出せない言葉なんですが、私は克子さんに恋をしてるとはっきりいいきれます。いい年をしてと誰から笑われてもいい……恋なんです」

克子の胸は大きく騒いだ。正直いって嬉しかった。髪に隠れた両方の耳たぶが赤く熱を持っているのがわかった。ここまでいわれて気持が昂らないはずがなかった。同時に強い後ろめたさに襲われた。どれだけ思われても決して実らない恋なのだ。

「でも私なんか、石橋さんのようなちゃんとした人には合わないかも……」

「そんなことはない」

とたんに石橋は声を荒らげ、

「克子さんはよく、私なんかとか、私のような女とかいう言葉をつかいますが大きな間違いです。ひかれ合う男と女は同等です。同じような心の持主なんです。互いに気がつかないだけの似た者同士。表裏の関係であわせ鏡のようなものです。同等で似た部分があるからこそ、ひかれ合うんだと思います」

「似た者同士、あわせ鏡……」

こそりと克子は呟いた。

「申しわけありません。訳のわからない屁理屈じみたことをいって。これだから年寄りは嫌われるんですね。いってる本人も何がいいたいのかよくわからなくなって」

「よくはわからないけど、何となく理解できるような気がするわ。でも石橋さんて本当にロマンチストで素朴で真面目で。子供のような人なんですね」

感心したような声をあげる克子に、

「克子さんは私を真面目すぎる人間だと思ってるようですが、とんでもないことです。私はいやらしい人間です」

石橋はビールを半分ほど飲み、思いつめたような表情で喋り出した。

「近頃私はほとんど一日中あなたのことばかりを考えています。寝ても覚めてもです。しかも、私の頭のなかに出てくる克子さんはいつも何も身につけていません。生れたままの姿です。そんな克子さんを私は頭のなかで犯しつづけるのです。まるで色情狂のように、私の頭のなかにはあなたの裸の姿があふれています。五十二歳の私が、まるで女を知らない若者のようにあなたを犯しつづけるのです。振り払っても振り払っても、頭のなかの私はその行為をやめようとはしません……」

石橋は肩を落としていた。カウンターに置いた皺の浮く両手を固く握りしめ、

「すみません、私はとても恥ずかしいことをいっているようです。どうかしています」

しぼり出すような声を出して頭をたれた。

不思議に嫌な気持は湧かなかった。そんなことより奇妙な充足感につつまれていた。石橋は五十二歳といったが克子にしても四十五歳なのだ。

「つづけて」

と克子はいった。先が聞きたかった。

石橋が驚いた目をして克子を見た。

「……たとえばこうしてカウンターに座って克子さんを見ても、私の目に映るのは裸の克子さんの姿なんです。見てもいない、あなたの裸が目の奥に焼きついて離れようとしません。もっとあからさまにいえば、私は克子さんとやりたくて仕方がないのです。そんなことばかりを考えています。情けない男です」

聞いている克子の足ががくがくと震えた。

五十二歳の石橋がかわいかった。愛しいと思った。自分の中心が濡れているのがようやくわかった。体が一気に熱くなった。

「やろっ」

石橋の耳に口をよせてささやいた。とたんに下着の中心がじわっと濡れるのを感じた。

顔をあげた石橋は目を輝かせ、

「それは結婚を承諾してくれたということですか」

「それはまだ何とも。でも石橋さんに抱いてほしいと私が思っているのは確かです。だから」

「それはできません」

石橋は真直《まっす》ぐ克子を見て首を振った。

「いくら悶々《もんもん》としていても、きちんとした約束がなければそういうことはできないんです。私の性格です。そういう世代なんです。いい返事がいただければそれこそ死ぬほど……何といったらいいのか、私は克子さんを大切にしておきたいんです」

淡々といった。目は少年のような光を放っていた。

「わかったわ」

克子は素直に納得した。体のほうはまだ熱を持っていたが奇妙に心は澄んでいた。子供のころに戻ったような爽やかな気分だった。

「やっぱり石橋さんて、生真面目なんだ」

はしゃいだ声でいう克子に、

「すみません、融通がきかなくて」

「こうなったら結論が出るまで、二人で大いに悶々としましょ」

「はい。でもさっきの克子さんの大胆な一言で、私の体の火も少しは収まったようです」

「石橋さんて、案外意地悪みたいね」

二人は顔を見合わせて笑った。

テーブル席がざわつきはじめた。どうやら男たちは帰るようだ。時計を見ると一時に近かった。

表に男たちを送りに行ったママが戻り、

「そろそろこっちもお開きにしましょうか。石橋ちゃんのやりたい気持は切ないほどわかるけど、つづきはまた今度ということで」

文子は石橋を追いたてにかかる。

「ママ、霙どうなりました」

「やんだみたいよ」

という言葉を合図に石橋は腰をあげる。

石橋と一緒に、ドアを開けて外に出ると寒気が一度に襲いかかってきた。

「寒っ」

といって克子は石橋の体に抱きついた。かすかに油のにおいがした。印刷用のインクのにおいだ。克子は石橋の体に回した両手に力をいれた。

「キスして」

石橋がまじまじと克子を見つめた。

「いくら真面目でもそれぐらいはいいでしょ」

怒ったようにいった。

おずおずと石橋の唇が近づき、克子の唇は温かいものでふさがれた。吐息がもれた。舌の侵入を待ったが、そんな気配はまるでなかった。唇と唇だけの軽い接触だった。初老の男と中年の女のキスは子供のように清潔なものだった。

唇を離した瞬間、二人の息が真白な湯気になってあがった。綺麗だなと克子は思った。

石橋はていねいに頭を下げ「ありがとうございました」といって克子の前を離れた。石橋の姿が見えなくなるまで克子は見送った。

軽く触れただけの唇がじんじんと疼いていた。まるで生れて初めてしたキスのように強烈だった。

店に入ろうとしたとき、十メートルほど先の電柱の陰からふいに男が現れた。ゆっくりと克子の前に近づいた。栄三だった。

「そろそろ終るころやと思って迎えにきた」

「………」

「まんだ時間かかるんか」

「もうすぐ」

ようやく言葉が出た。

「そんなら表で待ってるから」

この店に栄三が迎えに来たのは初めてだった。やはり何かを感じて出向いてきたのか。ひょっとしたら、さっきの光景を見られたかもしれない。克子は空をあおいだ。真白な息がふわりとあがった。

相手は治子だった。

克子は治子と話がしたかった。治子に納得してもらってこそ、はじめてこの件の片がつく。ミユキマートへの道を歩きながら克子はそう思った。どれだけ皮肉をいわれようが怒鳴られようが耐えるつもりだった。

石橋と店の表でキスをしてから四日が過ぎていた。一時は迎えに来た栄三に見られたのではと心配したが、その後の栄三の態度には何の変化もなく普通の毎日がつづいている。

ただ、この数日、栄三はやたら克子がミユキマートに行く日を気にしていた。

「わいも一緒に行って頭下げたほうがいいんやないか、克ちゃんだけやと喧嘩になるような気がして心配や」

こんなことをいっていたが昨夜、

「明日の休み、三時頃ここを出てミユキマートに行くつもりだけど、あんたはどうする」

「明日の三時か、あかんなあ。午後からどうしてもはずせん用事があるんや。悪いなあ」

拍子抜けしながらも、克子はほっとするものを覚えた。堅気《かたぎ》の人間とはほど遠い栄三と一緒に行ってもプラスになどなるはずがない。まとまる話もまとまらなくなる。

ミユキマートまであと少しの所で、克子の胸は急に鼓動を速めた。数分後の展開を考えると気持も重く沈んでくる。調子の良さだけで世の中を渡ってきた自分がなぜこんな苦労までして……。

そんな思いを胸に克子がミユキマートの駐車場の前に立ったとき、道脇に停めてあった黒ぬりの車のドアが急に開いてダブルのスーツを着こんだ男が出てきた。

克子の顔色がさっと変った。

マチキンの男だ。一年ほど前、多額の借金をして踏み倒して逃げたときの怪しげな金融会社の社員だ。返済額は一千万近く、そのために克子と栄三は東京をすてたのだ。

「久しぶりですね克子さん」

声も出なかった。足が震えた。

「突然いなくなるなんてひどいじゃないですか。あっちこっちずいぶん捜しましたよ。おかげで金もけっこう使いました。もちろんきっちり上乗せさせてもらいますがね」

男はくちゃくちゃとガムをかみながら、克子の上から下まで睨めまわした。

震えは克子の全身に広がっていた。しかしなぜこの男がここにいるのか、偶然どこかで見られたとしか考えられなかったが、この広い東京でそんなことが。

「まあ、とにかく車に乗ってもらいましょうか。事務所まで来てもらって今後のことを相談しましょう。ゆっくりと」

「お金ならないわ。逆さにふっても何にも出てこないわ」

叫んだ。泣くような声だった。

「なめてもらっちゃ困りますね」

かんでいたガムをぺっと吐き出して薄笑いを浮べた。

「五体満足の体があるじゃないですか。そいつを元手にすれば何とかなるでしょう」

「体？」

ふいに男の顔から薄笑いが消えた。

「体たって、てめえのくされマンコのことじゃねえから心配するな。そんなばばあを買うような酔狂な男なんぞいるわけがねえ」

苛立ってきたのか口調ががらっと変った。こめかみに太い血管が浮いた。

「目ん玉だって腎臓だって金になるだろうが。場合によっちゃあ、心臓だって肝臓だって何だって売ることはできる。生命保険かけて、ビルの屋上から飛んでもらったっていいんだぜ。バカヤローが」

男が近づいた。克子は動けなかった。全身が金縛りにあったように硬直していた。

「さっさと乗れよ、てめえ」

腕をつかまれて強い力で引かれた。ずるずると引きずられた。克子の両目から涙があふれた。殺されると思った。全身が水につかったように凍えて縮こまった。

「待ったってくれ」

突然、聞き覚えのある声が後ろから響いた。

「頼むから待ったって。わいが悪かったんや。金みたいなもん一円もいらんから、克子を連れてくのは待ったたってくれ」

栄三だった。いつのまに来たのか、栄三はくしゃくしゃの顔をして男に哀願していた……もしかして。

「五十万ってか。端《はな》からそんな金を払うつもりなんてねえんだよ、くそ野郎が。いちおうてめえはこの女の情夫《いろ》だろうが。責任だって充分にあるだろうがよ。大体アパートを教えりゃてっとり早くすむものを、回りくどいまねしてこんな場所を教えやがって。てめえだけは安全圏にいようなんて、えぐいんだよやり方が。誰が振りこむか、てめえなんかの口座に」

克子を売ったのは栄三なのだ。だから栄三は克子がミユキマートに行く日時を知りたがったのだ。やはりあの夜、栄三は石橋と克子がキスをしている現場を見ていたのだ。

電柱の陰にかくれて、じっと一部始終を見ていながら栄三はぴたりと口を閉ざして、普通の毎日を送りながら心のどこかに得体のしれぬどろどろしたものをためこんでいたのだ。

「浮気はいいけど、本気はあかんよ」

克子の胸に栄三のあの声が蘇った。

「どけよおっさん」

男はかまわずに克子を引きずった。

そのときミユキマートのドアが開き、男と女が飛び出してきた。幹郎と治子だ。

「何をやってるんですか、あなたたちは」

幹郎が怒鳴り声をあげた。

「大丈夫、克子さん」

治子だ。すぐに、

「何があったかは知らないけれど、大の男が女一人を引きずって車に連れこんでどうしようっていうの。警察呼ぶわよ」

ものすごい剣幕で男を睨みつけた。

「呼べばいいだろ。この女はなあ、金を借りるだけ借りて、そのまま払いもせずにとんずらしたとんでもねえタマなんだ。警察呼ぼうが何呼ぼうが、どれだけあくどいといわれようが、こっちは法律ぎりぎり一杯の線で商売してるんだ。てめえたち他人にとやかくいわれる覚えはねえよ」

男がまた克子を引きずった。

「ひっ」と克子が金属的な悲鳴をあげた。

それを合図のように栄三が動いた。懐からふいに光るものを取り出した。ナイフだ。いきなり男に振りかぶった。

「あっ」と誰かが叫んだ。

栄三と男はもつれあって路上に倒れた。ごろごろと転がった。すぐに二人は動かなくなった。立ちあがったのは男のほうだ。

栄三の体にナイフが突っ立っていた。ちょうど心臓のあたりだ。流れ出る血が路上にじわじわと広がっていった。

「正当防衛だ」

と男は叫んだ。真青な顔だった。よろよろと歩いて車に乗りこみ、エンジンをスタートさせた。

「治ちゃん、タオル。それに救急車」

幹郎が叫んだ。

すぐに治子が店のなかに飛びこんでいった。

克子は突っ立ったまま、倒れ込んで血を流しつづける栄三の姿をじっと見ていた。このまま死んでくれたら。そうなれば石橋と結婚できるかもしれない、このまま死んでくれたら、このまま死んでくれたら……。

「克子さん」

と幹郎が大声を出した。

克子はわれに返り、慌てて栄三のそばにかけよった。栄三の顔は真白だった。ナイフはすでに抜かれ、胸にはタオルが何枚も巻かれていた。幹郎は血を吸いこんだタオルを取りかえながら必死で傷口を押さえている。

「ひょっとしたら大丈夫かもしれない」

幹郎が低い声をあげた。

「背広の左胸に入っていた財布にナイフの刃があたったんです。そのためにナイフがすべって刺さったのは心臓より少し上の部分……あとは出血多量の心配がなくなれば」

ぼそっという克子に、幹郎は広げられた背広の内ポケットから血のついた札入れを抜いて手渡した。

「こいつのおかげです」

克子はしばらく受け取った財布を睨みつけるように見てから、そっとなかを覗いた。入っているのは千円札が三枚だけ、それに。

克子の胸が音を立てて鳴った。

見覚えのあるちっぽけな紙袋が入っていた。もう十年以上も前、運を呼びこむからと克子の恥毛を抜いて大切に栄三がいれた袋だ。

取り出してみた。紙袋は全体がこすれて汚れきっていた。表面にうっすらと消えかかって見えるのは『女神様の宝』と書かれた稚拙な文字だった。

克子の体のなかで何かがはじけた。

「あんたあ」と叫んだ。

栄三は財布の奥に克子の恥毛をいれつづけ、克子の財布のなかにはミユキマートのレシートが入っていた。あわせ鏡の文字が克子の胸で躍っていた。

「遅いな救急車」

幹郎が苛立った声をあげた。

「大丈夫だから、きっと助かるから」

治子が克子の手を握った。強い力だった。

血の止まる気配はなかった。路上は真赤に染まっていた。

もしこの人が助かったら津軽に帰ろう、凍えるほど寒いくせに温かだった津軽に。津軽の風景はこの店と同じ……太陽《ひなた》のにおいとわらの音、二人で一緒に津軽に帰るのだ。

「あんたあ」

克子はもう一度叫んだ。

第六話　オヤジ狩りの夜

加奈子《かなこ》は店のすみで首を傾げる。

『なぜ、あいつは私を引っぱらないのか』

チョコレートなど菓子類の入った棚の陰から、カウンターのなかに入っているこの店のオーナーの顔を盗み見る。

名前は確か幹郎だ。加奈子はこれでもこの店の常連だから、店の人間の名前ぐらいは知っている。といってもきちんと代金を払って商品を買うのはまれで、ほとんどが万引きなのだが。

加奈子の手が動き、数枚のチョコレートをつかんでプラダの手提げのなかにそっと落としこむ。瞬間快感が走る。体中がすうっと爽やかになる。もう少し、と手を伸ばしかけたところへカウンター脇の扉が開いて女が一人出てきた。

あれはまずい。あの女は幹郎のように甘くはない。名前は治子、要注意人物だ。

りましょうか」

「在庫の整理すみました。足らないものは発注しておきましたから。カウンターのほう、代
「頼むよ」

こんなやりとりのあと、カウンターを出た幹郎が加奈子のいる通路に足を向けるのがわかった。

幹郎は体を横にしてカニのような格好で加奈子の後ろを抜ける。ちっぽけなコンビニのため、通路が狭いうえに加奈子はザック型の通学カバンを背負っているのだ。

が、つかまるはずがない。その気があれば今までに何度も機会はあったのだ。

「毎度ありがとうございます」

すり抜けるとき、幹郎は愛想のいい声をかけてきたが、加奈子は無言を通した。

今日はもう引きあげたほうが無難だった。そのつもりで、チョコレートと、それに男性用の整髪料もすでに手提げのなかに入っているのだ。何気なくカウンターに目を向けると治子が加奈子を見ていた。真剣な表情だ。胸が騒いだ。呼びとめられてバッグのなかを探られればそれで終りだ。ぞくっと体が縮む。さっきとはまた別の快感が全身を走る。

加奈子は背中全部を目にして、それでも大股でちっぽけなコンビニエンス・ストア『ミユキマート』の入口を出た。

治子は追ってこなかった。一気に脱力感が襲う。これも一種の快感だった。

待ち合わせ場所のハンバーガー屋に行くと、満《みつる》はすみの席に座りこんでダブルバーガーに

かじりついていた。アイスティーだけを頼み、片手で紙コップを持って合流する。

「どうだった」

満が屈託のない声を飛ばした。

「ちょろいもんよ。はい、電話で約束したムース」

手提げのなかから整髪料の容器を取り出して、満の前にとんと置く。

「さすが加奈子だよな。これでもう買わなくてすむもんな。得しちゃったよな」

満は自他ともに認める優等生で通っている。万引きとか恐喝とか、周囲から後ろ指をさされることは一切しない。

おまけに爽やかなスポーツマン、部活はサッカーで、むろんレギュラーだ。通っている高校も、都内では有数の進学校で偏差値もずば抜けて高かった。加奈子の通っている女子高とはかなり格が違うが、二人は近所同士で中学三年からの恋人関係にある。

「しかし加奈子にそんな特技があるとはな」

コーラを一気に飲みほしていう満に、

「あの店は特別なんだ。変な店なんだ。他の店では絶対無理なんだからね」

加奈子はむきになったようにいって口を尖《とが》らせた。

最初はほんの出来心だった。

二カ月ほど前、久しぶりに逢った満と話をしていて気まずくなったのがきっかけだ。ロマ

ンチックな雰囲気にひたろうとする加奈子に対して満の話題といえば、

「ゾウカブト虫の鮮明な写真が手に入ったんだ。体長は同じ中南米にいるヘラクレスオオカブトには負けるけど、色がいいんだ。黒じゃなく茶系なんだけど、これが渋くてさ……」

満は昆虫が好きで現在はカブト虫にこっている。といっても、つかまえて標本作りに熱中するといったことは一切ない。主な作業は写真と資料の収集だった。第一、満は本物の昆虫に手を触れることができないのだ。

「気持悪くてさわることなんて絶対無理。見るだけでいいんだ。それ以上は必要ない。それだけで充分に楽しいんだ」

いつかそんなことをいっていたが、どう考えても何かがずれているとしか思えない。

その日もカブト虫の話を延々と聞かされ、いらいらがつのって早々と別れて家に帰る途中、何気なく小さなコンビニに立ちよった。

「ストレス解消の初歩は何といっても万引き。ただで商品が手に入る快感、見つかるかもしれないとどきどきする快感……たまんないんだよ。どってことないから加奈子もいっぺんやってみなよ。病みつきになること間違いなし。慣れちゃえばあんなの、デパートの地下の食品売場で試食品をひょいとつまむのとおんなじなんだから。もし見つかったとしても男子店員なら若い女には甘いから何とでもなるしさ……」

クラスメイトが以前いっていた言葉が胸をよぎった。試してみよう、試食品を食べてやろうと思った。

カウンターには平凡な顔をした中年男が一人でぽつんと立っていた。オーナーの幹郎との最初の出逢いだった。

このとき加奈子はノートとチョコレート菓子と折紙を万引きした。バッグのなかにしのばせたときは心臓が飛び出すほど騒ぎまくっていた。みごとに成功させて表に出たときはいうにいわれない快感に襲われた。

病みつきになった。何度もミユキマートに通った。そのたびに様々な商品をバッグに落としこんだ。何度目ぐらいだったか。バッグのなかに化粧水の瓶を落としこんだ瞬間、視線を感じた。振り向くとカウンターの幹郎と目があった。見られたはずなのに幹郎は何もいわなかった。不思議だった。

このあともミユキマートで大胆な万引きを何度もしたが加奈子は一度もとがめられることはなかった。見て見ぬふりをしているとしか思えなかった。

「そりゃあ、そのオッサンは加奈子に気があるんだ。そうとしか考えられない」

話が終ったとたん、満はにやっと笑ってこういった。

「きっかけは満なんだから。もうカブト虫の話はいやだからね」

加奈子の抗議の言葉を受け流し、

「加奈子、妙に中年に人気があるもんな。オッパイはでかいし、肌はすべすべだし。山下《やました》なんてもうメロメロだろ」

山下は、加奈子たちの住んでいる町のはずれで歯科医を開業している中年男だ。今年の冬の間、満はこの歯科に虫歯の治療でずっと通っていた。

加奈子も数回、満につきそって一緒に行ったことがあるが虫歯が治癒したあと、

「あそこの先生が、お前を紹介してくれっていうんだ。えらく加奈子のことを気にいったらしくてな」

満はこんなことをいった。いつもと変らぬ表情だった。

「紹介って」

「多分、援助交際《エンコー》なんじゃないか」

「エンコー！」

加奈子のクラスにもエンコーをしている女生徒は数人いたが、まさか自分にその誘いがくるとは。しかも恋人の満を通して。

満からの話でもあり、ひやかし気分も手伝って山下という歯科医に加奈子は会った。

「月二回会うということで二十万円。一回はホテル、あとの一回は普通のデートということでどうですか」

山下は単刀直入にこういった。

二十万。加奈子は絶句した。

加奈子の家はごく普通のサラリーマン家庭で生活も贅沢とは縁のない、むしろ質素なものといってよかった。それが、毎月二十万の小遣いをこの中年男はくれるというのだ。

正直、加奈子の胸は騒いだ。二十万あれば、しかしその代償は。

「少し考えさせてください」

加奈子は即答をさけ、満に逢ってことのいきさつを話した。

「俺と加奈子は恋人同士だけど、決して互いの持ち物じゃない。束縛はしないし、されたくもない。これは俺と加奈子が結婚することになっても変らない二人の原則だ。それぐらいは加奈子だって充分に納得してることじゃないか……自分のことは自分できめなきゃだめだ。その代りどんな結論を出しても俺は加奈子をとがめない」

加奈子の顔を真直ぐ見て満はいった。

満の考え方は小学生のころからまったく変っていない。怖いほど同じだった。

中学三年の夏に、初めて満の部屋でセックスをしたあと、

「これで本当の恋人同士になったんだけど、でもこれから先、俺が加奈子の体を求めて、お前がそのとき気が乗らなかったら遠慮なく断ってくれ。逆の場合のときは俺も遠慮なく断るから。お互いに自分を主体にして本音の部分でつきあおうぜ」

あれから三年、いったい満とどれぐらいセックスをしたのか。ときには拒絶したり、されたりしながらの関係だったが、これまで別れ話は一度も出なかったし満が他の女に手を出したという話も聞いたことがなかった。

「じゃあ」

といって加奈子は一瞬いいよどみ、

「やってみようか……二十万のお金はかなり魅力的だしね」

ほんの少し満に反発心を抱きながら、できる限り明るく加奈子はいった。

「そうしろ。まあ体なんていくらやっても減るもんじゃないし、俺と加奈子の心さえしっかりつながってれば大丈夫だよ」

減るもんじゃないんだ。それに男は満一人しか知らないとはいえ、セックスの数からいえばベテランの部類に入るはずなのだ。あんな中年の一人や二人、何とでもなるはずだ。

「俺の取り分は三割でいいよ」

「…………」

「いちおう俺が口をきいたんだから代理人ともいえるし。無報酬というのも資本主義の原理から外れる。だから三割の六万円。もちろん初回だけだから……その代り何かトラブルがおきたら代理人である俺が対処するから」

ああ、と加奈子はすぐに納得した。

満はけっこう合理主義者でもあるのだ。要求すべきものはいつでもはっきり口に出す。

「生チンはやめろよ。コンドームだけはしっかりつけさせろよ」

最後に満はこれだけいった。少しだけだったけれど加奈子は嬉しかった。

山下とつきあい出してから半年になろうとしていた。

加奈子がアイスティーを飲み終えたとき携帯が鳴った。画面《ディスプレイ》に目をやると山下だった。

ゆっくりと耳にあてる。

「山下だけど、明日いいかな」

明日は土曜日で山下歯科は昼までだ。

「どっち」

「カラダ」

明日はそれほど危なくない日だ。いくらコンドームをしていてももれることもある。だから危険日だけは体の誘いはさける。

「いいけど」

と短く答えると、山下は西武新宿駅の近くの、いつもの喫茶店を待ち合わせ場所に指定してきた。時間は三時だ。

「俺もたまってきちゃったな」

電話を切ると満がぽつんと声をあげた。

「じゃあ、今日やる?」

「今日はこれから塾だから無理。それにたまっているのは、こっちのほうだから」

満は人差指で頭をぽんぽんとたたいた。

「ああ……」

といって加奈子は言葉をのむ。そっちのほうなら自分の出番はなかった。

サッカーの部活に受験勉強、塾はほとんど毎日あるし、好きな音楽やインターネットにかける時間も必要だ。満はとにかく忙しすぎるのだ。そのためにストレスがたまりすぎ、ときおり頭のほうがきれかかる。

「いつ、やるの」

「十日以内だな」

「前はいつだったっけ」

「三カ月前。相手はホームレスだった。肋骨と右腕を折ってやった」

きれかかってくると満はオヤジ狩りをやるのだ。それもたった一人で。深夜の町をふらふらさまよって獲物を探し、狂ったように痛めつけるのだ。

「一人でやるのがいちばん。何人かとやれば必ず足がつく。口の軽いやつが多いから」

満の持論だった。

「怖い顔すんなよ。大学に入るまでだ。入っちまえばストレスなんてもうたまらないよ」

「…………」

「じゃあ俺、そろそろ塾に行くわ」

真白な歯を覗かせて席を立った。

満はいらいらがつのるとオヤジ狩り、自分は見て見ぬふりをする妙なオーナーのいる、ちっぽけなコンビニで万引きだ。ひょっとしたらミユキマートでの万引きは幹郎に対する苛めのようなものかもしれなかった。

加奈子の口が小さく開いて呟くような言葉がふっと流れ出た。

『汚《よご》れっちまった悲しみに

今日も小雪の降りかかる
汚れっちまった悲しみに
今日も風さえ吹きすぎる』

清潔な筆致で孤独と悲しみを歌いつづけ、三十歳の若さで死んだ詩人、中原中也の『汚れつちまつた悲しみに……』の最初の部分だ。

何度も眺めているうちにすっかり覚えてしまった。でも、いったい誰がこんな手紙を……

加奈子はザックの奥にしまいこんである、几帳面《きちょうめん》すぎるほどしっかりした手紙の文字をちらりと頭に浮べる。

「ラブレター、か」

低い声をもらして口許を崩した。

加奈子は念入りにシャワーを使う。

いつになく今日の山下はしつっこかった。

あの部分はもちろん、足の指から尻、背中、手の指の先まで執拗に舌を這わした。

体中が山下の唾液で濡れきって気持が悪かった。中年男の唾液はにおいが強いし、ねばりけがあった。満の唾液はもっと爽やかだ。べたつきが少なく、さらりとしている。

いつもなら一度の射精ですむのに今日は二度、あの部分と口のなかだ。シャワーのあと加奈子はていねいに歯ブラシを使った。

当の山下は急用ができてしまったといって、二回目の射精のあと残念そうな顔をしてシャワーも使わずに帰っていった。急用があるなら二度もするなよと考えてみて、急用があったから二度だったのかもしれないとも思った。

歯をみがき終えて部屋に戻ると、サイドテーブルの上に封筒が置いてあった。金だ。二十万だ。最初は大金だと感じたが、ほとんどが満との遊び代にあっというまに消えてしまう。二人で使うととにかく早いのだ。加奈子は体にバスタオルを巻いただけの格好でなかの金額を確かめ、山下に買ってもらったヴィトンのバッグに無造作に放りこむ。

放りこんだ封筒のかわりに、別の封筒を加奈子はバッグの奥から取り出した。どこにでもある、ごく普通の真白な角封筒だった。そっと四つに折った便箋《びんせん》を抜き出してテーブルの上にていねいに広げた。

一週間ほど前、学校から帰って背負っていたザックのポケットの部分を何気なく覗いてみると封筒が入っていた。ポケットにはチャックがついていないため、通学電車のなかなど混んだ場所なら誰にでもいれることは可能だった。

封筒の表には『あなたへ』の文字、差出人の名前はどこにも書かれていなかった。何となく気になる手紙だった。それ以来加奈子はずっとこの手紙を持ち歩いている。

便箋にはていねいな文字が並んでいた。

『あなたが好きです。毎朝電車のなかであなたの姿を見るたびに胸が大きく疼きます。とても幸せな気分に満ちあふれます。

でも僕は決してあなたに声はかけないでしょう。なぜなら様々な意味で僕とあなたはあまりにも釣り合いがとれないから……。

だから見るだけです。それも遠くから。あなたの姿を目で追いながら、幸せになってくださいと祈るのが僕にできる精一杯のことです。愛する人が幸せになってくれるなら、それが僕の幸せでもあるのです。たとえ幸せにする相手が僕でなくても。

でも近頃、ちょっと気になる光景を見てしまいました。もちろんあなたのこと……あんなことはもうやめてください。見ているほうが悲しくなります。あなたには絶対に似合わない行為。だからこんな手紙を書きました。

この手紙はあなたに対する、ちょっと古くさい言葉ですが最初で最後のラブレターです。あなたが幸せな毎日を送っていれば……多分このような手紙は書かなかったでしょう。自分勝手ないい分ですが、早く素敵な元のあなたに戻ってください。僕を悲しませないでください。お願いですから……。

最後に僕の好きな詩人である中原中也の詩をあなたに捧げます。

汚れつちまつた悲しみに
今日も小雪の降りかかる
汚れつちまつた悲しみに
今日も風さへ吹きすぎる

汚れつちまつた悲しみは
たとへば狐の革裘《かはごろも》
汚れつちまつた悲しみは
小雪のかかつてちぢこまる

汚れつちまつた悲しみは
なにのぞむなくねがふなく
汚れつちまつた悲しみは
倦怠《けだい》のうちに死を夢む

汚れつちまつた悲しみに
いたいたしくも怖気《おぢけ》づき
汚れつちまつた悲しみに
なすところもなく日は暮れる……

あなたが不幸になれば、少なくとも世界中で一人は涙を流す男がいることを忘れないでください……幸せに』

文面はここで終っていた。

最初読んだとき、加奈子はきょとんとするだけで手紙の目的と内容がよくわからなかった。引用されている詩人の中原中也という名前も初めて知った。

二度目に読んだとき、こいつはストーカーだと思った。脅迫行為を受けるかもしれないと心配したが、それにしては文面にどことなく優しさのようなものが漂っていた。

わからないまま確実にいえるのは、差出人は加奈子がよくない行為をしている現場を見て悲しんでいるということだ。

考えられるのは万引きか援助交際しかなかった。差出人の男は自分を悲しませないためにもその行為をやめてほしいと訴えていた。そのための、これは最初で最後のラブレターだと男は書いていた。

ラブレター……そんなものを自分がもらうことになるとは、携帯電話に入ってくるラブメールなら何度ももらったことはあるが、今どきラブレターなどとは。

それだけに薄気味悪さのある反面、新鮮な驚きと嬉しさのようなものがあったことも確かだった。

加奈子は何度も文面に目を走らせる。

引用されている中原中也の詩は、加奈子の行為をやめさせるための婉曲《えんきょく》な訴えに違いなかった。妙に心に残る詩だった。

手紙に目を通しながら加奈子はふいに満に逢いたくなった。できるなら抱きしめてほしかったが、そんなことは無理だ。エンコー相手に抱かれたばかりの体だった。満の携帯に加奈子は電話をいれた。

「加奈子かあ」

すぐに聞きなれた満の声が耳に響いた。

「ねえ、これからすぐに逢えないかな」

珍しく甘えたような声を出した。

「これからって……そんなに突然いわれても無理だよ。今、ネットでカメ虫のことを調べてる真最中《まっさいちゅう》なんだ。それにこれが終ったら塾に行かなきゃなんない。今日は無理だよ」

カメ虫。いったい何だそれは。そんな訳のわからないものが私のことより大事なのか。加奈子の胸に小さな怒りが顔を覗かせる。

「私たちって恋人同士よね」

「ああ、そうだよ」

「それでも逢えないの」

「恋人同士ってことと、今逢わなきゃならないってことは別問題だと俺は思うよ。まったくステージが違うことなんだよ。それぐらいいいかげんにわかれよ加奈子」

それだけいって電話は切れた。

お互いを束縛しない恋人同士、わかってはいるけれど納得している訳ではない。満を失いたくない方便のようなもの。

突然加奈子の脳裏に手紙をくれた男の顔が浮んだ。のっぺらぼうだった。想像のしようがなかった。今どき詩を書いたラブレターをくれる男、どう考えても時代錯誤のオタクにきまっている。でも、優しいオタクだ。そんな気がしてならなかった。

バッグの奥に手紙をていねいにしまいこみながら、

「私は汚れてるんだろうか」

独り言のように加奈子は呟いた。

その夜、加奈子は家に帰ってから国語辞典で『ラブレター』の項を引いた。恋文と載っていた。『恋文』の項を引くと『恋心を書き送る手紙。ラブレター』と載っていた。どことなく幸せな気分に加奈子はつつまれた。

月曜日から学校への行き帰り、加奈子は自分の周囲に全神経を集中させた。ラブレターの差出人が気になってしかたがなかった。できるものなら相手を見つけたかった。

三日が過ぎたが加奈子の神経にふれてくる人間はいなかった。というより正確にいえば見当さえまったくつかず、どうしていいかわからず途方にくれただけだった。人が多すぎた。神経を集中させればさせるほど周囲の人間がぼやけて特定が難しかった。

一度、駅のホームでひょっとしたらという相手を見つけて、全神経をその男子高生に集中させたことがあった。凝視した。

中肉中背で顔は平凡そのもの。際立った部分など何もうかがわれない男子高生だったが、加奈子の視線に気づいた瞬間、嬉しそうな表情を満面に浮べてべたっとそばにくっついてきた。

「どっか遊びに行く、彼女」

すぐに声をかけてきた。だめだこいつじゃない。こんな軽薄なやつじゃない。顔をそむける加奈子に、

「俺のこと見てただろ。好みなんだろ」

男子高生は自信たっぷりにいった。

「バッカじゃないの」

思わず口から飛び出した。加奈子はさっさと早足でその場を離れた。

「バカはそっちだろうがよ。ほんとは男がほしいくせによ」

背中にこんな言葉が突き刺さった。

惨めな気持に襲われた。自分は途方もないほど無意味なことをやっている。もしラブレターの相手を探し出したとして、それからどうしようというのか。

満に逢いたかった。ハンバーガー屋に二人で行ったきり、もう一週間ほども逢っていないのだ。満に逢って力一杯抱いてほしかった。時計を見ると四時を少し回っていた。まだ部活の真最中だ。

ホームのすみに行き、無駄とは思いつつ携帯を取り出して満の番号をプッシュした。呼び出し音三回で満とつながった。意外だった。

「加奈子か」

という懐しい声に、

「もう部活終ったの。いやに早いんだね。だったら満と逢いたいな」

「一昨日《おととい》から部活は休んでるんだ。カメ虫にはまっちゃってさ。だから今、家のパソコンの前でインターネット」

またカメ虫だって、カメ虫っていったい何だ。

「だったら逢おうよ」

「ちょっと無理。カメ虫が一段落つくまでしばらく待ってくれよ」

何なんだよカメ虫ってやつは。加奈子は唇を力一杯かみしめ、

「何なのよカメ虫って」

携帯に向かって叫んでいた。

「大きな声出すなよ。ちゃんと聞こえてるから。カメ虫ってさ、独特の臭い液を出すためにヘッピリ虫とかヘクサ虫なんて呼ばれて、みんなから嫌われてる昆虫なんだけど、なんと、カメ虫のなかにも観賞にたえられるきれいなやつがいてさ……」

加奈子は携帯を切った。

高校生にもなってカメ虫、カメ虫と何を騒ぎまくっているのか。莫迦らしい。実物がいてもさわることができないくせに何が昆虫マニアだ。

大体満は女性に対して欲望が薄い。満というより同世代の男はみんな同じ傾向があるよう

な気がする。興味を持つ対象がありすぎるのだ。音楽、スポーツ、ビデオ、パソコン、ファッション……だから女性にたどり着くまでに疲れきってしまう。特に頭のいい連中にはこんなやつが多い。

そのとき携帯がメロディ音を奏でた。

満だ。加奈子はポケットから携帯を取り出す。メールだ。すぐに目を走らせる。

『申しわけない。昆虫のことが気になると徹底的に追究しないと気が収まらない。俺だって加奈子に逢いたいけれど、時間がないんだからどうしようもない。近頃俺もいらいらしてる。そろそろ「狩り」をしなければ抑えられないかもしれない……でも、いつでもどこでも俺は加奈子が大好きだから、逢えなくてもいつも加奈子のことを思っているから。地球上でいちばん好きな生物は加奈子だ。心の底から愛している……FROM・満』

満にしたら精一杯のラブメールだった。画面の枠一杯に細かい文字が順番に流れて消えていく。氷のように溶けていく。

ほんの少しだけ気持は鎮まりかけたものの、収まりきれないものがはみ出して心の周りをぞろぞろ歩いている。カメ虫のように。どんな虫なのか一度も見たことはないけれど。

「ミユキマートに行こう」

万引きしかない。満がオヤジ狩りなら自分は万引きだ。オーナーの幹郎の困った顔を見れば少しは胸がすっとするだろう。

電車を降り、早足で歩いてミユキマートに飛びこむとカウンターには治子がいた。

加奈子は肩を落とす。

この女はだめだ。幹郎のように見て見ぬふりなど絶対にしない。ことによったら警察につき出される。やめたほうが無難だった。

明日にしよう。明日またよってみてカウンターに幹郎が入っていれば。

住んでいる公団住宅までの十五分ほどの道のりを加奈子はとぼとぼと三十分近くかけて歩いた。鉄の扉を開けてなかに入り、

「ただいま」

と声をかけるが、返ってくる言葉などないのは百も承知だ。両親は共働きで一人だけの兄は京都の大学に在学中だった。

それでも加奈子は家に戻ると必ず声をあげてしまう。母親がまだ家にいた小学生のころの癖がぬけきらないのか。理由はよくわからないが加奈子自身は、自分に対する応援歌のようなものだと思っている。

四畳半の部屋に入り、提げていたプラダの手提げをすとんと落とす。背負っていたザックを肩からはずし、落としたままのプラダの手提げを部屋のすみに足で蹴りとばした。

机の前のイスに溜息をついて座りこむ。

頭のなかにまたあの詩が浮んだ。

『汚れっちまった悲しみは

たとえば狐の革裘《かわごろも》

しい。

汚れっちまった悲しみは
小雪のかかってちぢこまる』

心の中心に穴があいているような気持だった。何かで塞《ふさ》いでほしかった。オヤジ狩りや万引きではなく、何かもっとやわらかくて温かいもの。何でもいいから優しいもので塞いでほしい。

加奈子の手がふっと机の本箱に伸びた。国語辞典を取り出した。ぱらぱらとページをめくって目的の単語を急いで探す。

『ラブメール』。いくら探してみてもその言葉は国語辞典のどこにも載っていなかった。

次の日、授業を終えた加奈子は早目に学校を出た。

はやっていない店だったが時間が早いほうが客は少ない。仕事もしやすい。加奈子の足はミユキマートに向かっていた。

駐車場の電柱の陰から店のなかをうかがうとカウンターに入っているのは幹郎だった。

ほっとした思いで扉を押し、急いでなかを見回してみるが治子の姿はない。大丈夫だ。

加奈子はカウンターの死角になっている棚の前に立つ。菓子類が並んでいる棚だ。無造作に手を伸ばして、プラダの手提げに大胆に放りこむ。簡単なことだ。

次は文具類の棚だ。ここも半分はカウンターの死角になっている。

ノートやらシャーペンの芯やら色鉛筆やら、別に欲しくはないが次々に商品を手に取って手提げのなかに放りこむ。誰の目も気にせず誰にとがめられることもなく。

　この店の商品は全部自分のもの、どうしようが自分の勝手なのだ。そんな気持が加奈子の心を支配する。まるで女王様になった気分だった。加奈子の顔は紅潮し、体も異様に熱くなっていた。無意識のうちに手が動いて商品を手提げのなかに放りこんでいった。

　気がつくと目の前に幹郎がいた。

「いいかげんにしませんか」

　沈んだ声を幹郎はあげた。

　見つかった。初めて見つかった。その割に加奈子の心の動揺は小さかった。幹郎は自分に気があるはずだ。こんな中年男の一人や二人、何とでも料理できる。どっちみち歯科医の山下と同じなのだ。

「いいかげんにしましょう」

　また幹郎がいった。

「……自分の袋にいれて、あとでカウンターに持っていくつもりだったのよ」

「なぜ、店のかごを使わないんですか」

「嫌いなの。人の使ったものは」

　すらすらと、言葉が流れ出てくるのが加奈子自身不思議だった。

「今日だけじゃないでしょ。幾度となくやってるでしょう。あなたの行動は全部あれに記録されてますよ」

幹郎は店の天井を目顔でさした。ビデオカメラが設置されていた。わかっていたことだった。わかっていたが、この店を甘く見すぎて頭からすっかり消えさっていた。

そのとき数人の学生風の客が扉を押して店に入ってきた。

「奥に来てもらえますか」

幹郎にうながされ、加奈子はゆっくり歩いてカウンター脇の扉のなかに入った。

事務室のようだった。部屋の真中に大きめの机が置かれ、すみの机にはビデオのモニターがセットされていた。

幹郎は部屋の端にあるドアを開けて、

「治ちゃん、店のほうちょっと見てくれるか」

奥は倉庫《バックルーム》だ。すぐに治子が顔を覗かせた。目が合った。加奈子はそっと視線をはずした。

「カウンター頼むよ。それほど時間はかからないと思うから」

「はい」

といって治子はすぐに店につづくドアを押して姿を消した。

手提げのなかから商品が残らず取り出され、机の上に小さな山を作った。

「こんなものとってどうするつもりなんですか。必要ないものばかりでしょ」

「………」

加奈子は何も答えない。不思議に動揺はおきなかった。幹郎と加奈子は真中の大きな机を前にして向き合って座っていた。

「何度も見て見ぬふりをしてきましたが、今回はちょっとやりすぎです。見逃すことはできませんでした」

やはり見て見ぬふりをしてきたのだ。満のいうようにこいつはきっと自分に気があるに違いない。いくつもの既成事実を作りあげ、身動きできない状態にしてからくどき始めるのだ。見逃してやるからなどといって。

「なぜ見て見ぬふりなんかしてたんですか」

初めて加奈子が自分のほうから口を開いた。

「わかってたんなら、もっと早くつかまえてくれればいいのに」

怒ったような声をあげた。

「私は商売熱心な人間じゃないから」

と幹郎は前置きじみたことをいい、

「あなたも私に見られていることに気がついていたはずだ。その時点で、普通なら怖くなって万引きなどはやめるはずなんですよ……」

「でも私はやめなかった」

挑発するように凝視する加奈子に、

「やめないばかりか、どんどんエスカレートしていった。大胆になった。まるで私に見せつけるように商品を袋のなかにいれた。これではらちがあかない。きちんと注意したほうがあなたのためだと私は思った」

幹郎は表情も変えずに、真直ぐ加奈子の顔を見つめて淡々と話した。

「名前を教えてもらえますか」

そらきた。名前と住所と学校名。三点セットをしっかり把握して、これから自分を追いつめる気だ。加奈子は幹郎を睨みつけた。

「本間《ほんま》加奈子」

ちゃんと本名を名乗った。

どっちみち制服も顔もビデオにしっかり映っている。へたに隠しだてをしても何もならない。

「本間加奈子さんですか……とてもいい名前です。じゃあ加奈子さん」

と幹郎が声をあげたところで、

「一回ぐらいなら私の体、やらせてあげてもいいわよ、オジサン」

大胆な言葉が加奈子の口から飛び出して、幹郎の次の言葉を押しこめた。

口に出した本人がどきりとするほど、すらりとその言葉は飛び出した。私はいつからこんなことを平気で口に出せる女になったんだろう。加奈子は心の奥でうろたえた。

幹郎は無言だった。何の感情も表に出さず、じっと加奈子を凝視していた。

「時間の無駄だから、てっとり早くオジサンの思ってることを代弁してあげたのよ。そのかわり一度だけ。それでチャラ、どう」

相かわらず幹郎は無言だ。加奈子には幹郎の沈黙が迷いに見えた。万引きを見逃すかわりに女子高生の体を要求……あとでばれれば幹郎だってただではすまない。

「心配しなくたっていいわよ。セックスなんて慣れてるからどってことないし。オジサンぐらいの年の人とエンコーだってやってるんだから」

いってやった。何となくいい気持だった。加奈子は幹郎を呑んでいた。優位に立っていると感じた。

「……とてもそんなふうには見えませんが」

ぼそっとした声をあげた。驚いている様子がありありとうかがわれた。

「何だったら、エンコー相手の一人にオジサンも加えてやってもいいけど」

また大胆な言葉が飛び出した。

いい年をして、高校三年の小娘の前で驚いている幹郎が何となくかわいく思えた。奴隷《どれい》を見下ろす女王様の気分だ。それに少なくとも歯科医の山下よりは上等な男だ。中年男を前にしと思った瞬間、加奈子は自分の下腹部が熱くなるのを覚えた。狼狽した。

て私の体は熱くなっている。山下との間でこんな経験は一度もなかった。

狼狽を隠すように、加奈子はいきなりイスから立ちあがって幹郎の横に歩いた。

机の上にあった幹郎の右手をつかみ、自分のスカートの奥に導いた。下着の上から大切な部分にぎゅっと押しつけた。

「やりたいんだろ、オジサン。やらせてあげるわよ。あんなもの、いくらやっても減るもんじゃないし」

　ふてくされたようにいった。声が震えているのが情けなかった。

　幹郎が加奈子の顔を見上げていた。悲しそうな顔に見えた。幹郎はゆっくりとスカートのなかから右手を抜いて机に戻した。

「私は相手がいくらかわいいお嬢さんでも、子供とセックスする気などはありません」

「…………」

「やけになってはだめです。無理をしてはいけません。これでも私はだてに年を経てきたわけじゃない。あなたがどんな性格の持主かぐらいはわかるつもりです」

　加奈子は放心状態だった。まさか拒否されるとは思いもよらなかった。恥ずかしさと屈辱感だけが体中をおおいこんでいた。

　幹郎は隣のイスに移動し、さあ、といって自分の座っていたイスを加奈子にすすめた。加奈子はぺたりと腰をおろした。

「私は加奈子さんのことを学校にいう気はありませんし、むろん警察にいう気もありません。住所を訊くつもりも電話番号を訊くつもりもありません……ただ万引きなどという行為をやめてほしかっただけなんです。できれば自分から……それだけが私の気持です」

「はい……」

　素直な言葉が出たのが意外だった。

「さっき加奈子さんは、セックスなんていくらやっても減るもんじゃないっていいましたけど、私は違うと思います。減るもんだと思います……だから。もしできるならエンコーなどという行為もやめたほうがいいと思いますよ」

「減るって……」

「減るんですよ何かが。金銭が介在するセックスは必ず何かが減るんです」

「じゃあ、ソープの人たちはどうなるんですか。やっぱり何かを減らしてるんですか」

むきになって声をあげると、

「減らしてるんです。身を削ってお金を稼いでいるんです。でもあの人たちはいいんです、プロだから。どんな仕事でもプロとはそういうものなんです。何かが減るのを覚悟で体を張ってるんです。だから許されるんです。でも加奈子さんは違います。素人です。素人がお金をもらってやるセックスは別です。体を売るっていうのは文字通り、体の何かを削って相手に売っているんです。加奈子さんの体から何かがどんどん失われていくんです」

かんでふくめるように幹郎はゆっくりと加奈子に語りかけた。

「減るって……何がいったい減るんですか」

「さあ……」

といって幹郎はほんの少し笑顔を見せ、

「加奈子さん」

ふいに力強い声を出して加奈子の顔を睨みつけるように凝視した。

「何か苦しいことがあるんじゃないですか。もしあるんだったら話してみませんか。力になれるかどうかはわかりませんが、話すだけでも楽になれるかもしれません」

加奈子は自分の部屋の机のイスに座って肩を怒らせていた。

幹郎は最初にいった通り、加奈子の住所も電話番号も学校の名前も訊かなかった。

あのあと、問われるままに加奈子は胸の奥にわだかまっていたものを全部幹郎に対して吐き出した。

満との奇妙な恋人関係、そして満にいわれて歯科医の山下と月二十万円でエンコーをつづけていること、万引きをすると、様々ないらいらが体の奥からふわりと離れて快感が訪れることなど……夢中になって加奈子は幹郎に何もかも正直に話した。幹郎は何も口をはさまず、かすかにうなずきながら加奈子の話を黙って聞いた。

加奈子からの体の誘いにも乗らず、怒りもしないで親身になって話を聞く幹郎の姿が加奈子には何か人間離れをしたものに見えた。しいていえば……神だ。神様の前で懺悔《ざんげ》をするような気持で加奈子は幹郎に向かっていた。

が、話を聞き終えて幹郎がもらした一言が二人の間に気まずい空気をもたらした。

「満君という加奈子さんの恋人ですが、早く別れたほうがいいんじゃないですか」

加奈子の胸がざわりと騒いだ。

何があろうと加奈子は満が好きだったし、満だって加奈子が好きなのだ。お互いに好きあって許しあっているのなら何をしてもいいのではないか。自由なのだ。

満に対して不満はいろいろあるが、だからといって別れようという種類のものではない。中年の人間にはその辺りが理解できないだけ、理解できないものは悪なのだ。

「……なぜですか」

とようやくいった。

「あまりにも自分本位です。都合がよすぎます。それに自分の恋人を他人に抱かせるという行為も、私にはまったく理解できない。新しい人類といえば聞こえはいいが、私には単なる甘ったれとしか思えない」

「甘ったれじゃありません。あいつはそういう性格なんです。あいつはちゃんとした自分の考えを持っているやつなんです。だから私が何をしようとあいつは許してくれますし、私もあいつが何をしようと許さなくてはいけないんです。そういう愛の形なんです。オーナーにはわからないかもしれないけど、新しい愛の形なんです。愛があれば、どんなことでも許されるんです」

吠えるようにいった。

「そんなものは愛じゃない」

幹郎も強い口調でいった。

「お互いいいように利用しあってるだけで愛なんてものじゃない。愛は許すことだけじゃない。愛してるからこそ許せないことがあって当然だ。すべてを許せる愛なんてない。もしそんなものがあったとしたら、それは我慢です。血を吐くような我慢です。愛してるからこそ、血を流して我慢するんです。愛とはそういうものです。痛みを伴ったものです」

いっている意味がよく理解できなかったが、満との間を否定していることは確かだった。満は加奈子のすべてだった。ふいに胸の奥から怒りに似たものが突きあげた。

「満と別れなきゃ許してくれないんですか」

「そういうことじゃない。それとこれとは別問題です」

「じゃあ許してくれるんですね。どうも申しわけありませんでした」

加奈子はふてくされたように幹郎にぺこりと頭を下げた。

「何か悩みごとがあったらいつでも……」

幹郎の言葉を半分ほど背中で聞き流して急いで部屋を飛び出した。

カウンターのなかの治子とまともに目が合った。治子の目のなかに憐れみに似た光があるのを感じた。

あいつら偽善者だ。いい子ぶりやがって。幹郎にしたって誘いに乗らなかったのは偽善者ぶっていい格好をするためか、それとも不能であれが役に立たないぐらいのものだ。

加奈子はイスから立ちあがって部屋のなかをうろうろと歩いた。

なぜ自分はあんな中年男に何もかも洗いざらい喋ってしまったのか。何が神様だ。単なる冴えないオッサンじゃないか。えらそうに説教がしたいだけの、そのへんのオヤジじゃないか。幹郎に腹を立てると同時に加奈子は自分自身にも腹を立てていた。

携帯を取り出し満の番号をこわれるほどの力で押していた。そろそろ部活の終るころだ。

満はすぐに出た。部活は終ったらしい。

「おう加奈子か。何だよ、どうかしたのか」

割に機嫌のいい声だ。

「例のオヤジ狩りなんだけど、今度はいつやるのよ」

「いつでもいいさ。いつ実行に移してもいいほど俺のストレスはたまってるから」

声のトーンが暗くて低い声に変った。

「じゃあ近いうちにやろうよ。私も一緒に行くからさ。満のオヤジ狩りに」

「一緒に行くって……何かあったのか」

「狩ってほしい相手がいるんだ」

加奈子はかいつまんで今日の幹郎との一件を満に話した。

「俺と別れろってそのオヤジはいったのか。大きなお世話だよな……で、そのオヤジを狩ればいいんだな。了解。俺はターゲットは誰でもいいから。思いきりオヤジをいたぶることができれば胸がすっとするから」

電話を切ったあと、加奈子はむしょうにシャワーをあびたくなった。体にまとわりついた幹郎の言葉をすべて洗い流したかった。今日一日の垢をすべてこそぎ落としたかった。

体中にシャボンを塗りたくりながら、加奈子は自分にいいきかすようにぶつぶつ呟く。

「体なんか、汚れたらこうやって洗い流してしまえばいくらでもきれいになるじゃないか。簡単なことじゃないか。人を蔑《さげす》むような目で見やがって、いったいあいつら……」

加奈子の胸にまたあの詩が浮んだ。

『汚れっちまった悲しみは
なにのぞむなくねがうなく
汚れっちまった悲しみは
倦怠《けだい》のうちに死を夢む』

加奈子はむきになったようにシャボンを恥毛にこすりつけた。

幹郎は脇目もふらずに歩いていく。

何のためなのか。白と黄色の花をあしらった小さな花束を右手に大事そうに持っていた。

時間は夜の十一時少し前だった。

「ねえ、あの花は何だろうね」

前を歩く幹郎の姿をしっかり見つめて加奈子が隣の満にいった。

「女のところへでも行くんじゃないか。プレゼント用だろ」

「そんなしゃれた人間とは思えないんだけどなあ」

ぼそりという加奈子に、

「それより、どの程度痛めつけるんだ」

「この前のホームレスは肋骨何本だった」

「多分、肋骨一本に腕一本」

「じゃあ今度は肋骨三本。ひいひい泣かせてやってよ」

「了解」

満は嬉しそうにいい、手にしている特殊警棒をがしゃりと一振りして長く伸ばした。

オヤジ狩りに使う満の武器だ。本物の警察官が使用している特殊警棒だった。どんなルートで流れてくるのかわからないが、満はこれをインターネットの個人通販で手にいれていた。

「でも、あのオッサンも独り身のくせに変ってるよな。店が終るのが十時で、普通ならそのあと三日に一度ぐらいは飲みに行くとか遊びに行くとかするんだろうけど、全然外に出ないんだもんな。まるまる一週間だぜ、大事な大学受験をひかえた俺が見張っていたのは。まあ十時から十一時までの一時間だからいいけどな。俺が見張り出してから一週間だから、本当はもっと閉じこもりの期間は長いはずだぜ」

満はちょっと溜息をつき、

「しかし、お前も物好きだよな。携帯で家に連絡してここまで来るのにわずか五分ちょっと、よほどあいつが憎いんだな……別に一緒に来なくても明日話を聞けばすむのに」

「見たいんだよ実際にこの目で。あいつがひいひい泣きわめくところを」

「わかった、わかった」

二人とも顎《あご》の下に大きめのマスクをつけている。花粉症用のものだ。獲物に襲いかかるときはこれですっぽり顔を隠すのだ。

ふいに前を歩く幹郎が横道にそれた。

「あっちって、児童公園のあるほうだよね。この前、満がオヤジ狩りをした」

「ああ。あそこを通り抜けてくれればいちばん楽なんだけどな。暗いし誰もいないし」

前方に公園の入口が見えてきた。幹郎はためらわずに暗い公園に足を向けた。

「やったじゃんか」

加奈子が目を輝かせた。

満の体が緊張するのが隣の加奈子に伝わった。筋肉が震える音が聞こえたような気がした。

特殊警棒ががしゃりと鳴った。

「お前は木の陰からでも見てろ。やつが動けなくなったら出てきて、殴るなり蹴るなり好きにするといい」

いい終らぬうちに満は走り出していた。顔にはきちんとマスクをつけていた。

幹郎が公園のすみにさしかかったとき距離が一気に縮まった。追いぬきざま、満の警棒が幹郎の首筋のあたりに振りおろされた。

びしっという鈍い音が響いた。

幹郎は声もあげずに呆気なく公園の土の上に倒れこんだ。

満が大きく手を振って合図をした。加奈子もマスクをつけて恐る恐る幹郎の倒れた場所に近づく。

「死んじゃったの」

かすれた声をあげた。

「死んじゃいないさ。失神してるだけ。軽く殴っただけだからすぐに気がつく。それから処刑の始まりだ」

座りこんだ満が幹郎の頬を軽くたたく。

「おきろよオッサン。寝てるひまはないんだ」

幹郎がうっすらと目を開ける。頭を振り、苦しそうな声をあげて両手をついて起きあがろうとした。満の体が動いた。蹴りが脇腹に命中した。骨の折れる乾いた音がした。

「うっ」とうめいて幹郎はまた突っぷした。

「何だ。お前たちは」

地面からしわがれた声をあげた。

「オヤジ狩りさ。悪いオヤジたちをやっつける正義の味方だよ。でも意外と元気なんで安心したぜ。いたぶりがいがあるというもんだ。さて今度はどこを蹴ってやろうかな」

異様な雰囲気を加奈子が感じたのはそのときだ。周囲の闇が動いている。ざわざわとかすかな音をたてて闇が動いている。

気がつくと、加奈子たちは異様な風体の人間たちに取り囲まれていた。

二十人以上の数だ。みな一様に薄汚れた格好で、闇のすきまにみごとに溶けこんでいた。漂っているのは異臭だ。ホームレスだ。

闇をすかすと、公園のあちこちに沢山の小さなテントが張られていた。陽気がよくなって、この公園はホームレスたちの格好の住み場所に変ったのだ。

「おめえたちだろ。三カ月ほど前に俺たちの仲間をひどい目にあわせたのは」

ホームレスのなかから声が飛んだ。

「……それがどうした。おまえたちなんか、この世の中には無用の存在なんだ」

震え声だ。満は明らかに怯えている。

「殺しちまえ」

誰かが低い声で叫んだ。

ざわっとホームレスの群れが動いた。

加奈子の全身に恐怖が走った。殺される。

「何とかしてよ満。あんた強いんだろ。何とかなるんだろ。本当に殺されるよ」

満は周囲を見回してぶるっと体を震わせ、

「四人や五人ならこんなやつら何とでもなるけど。これだけ多いとその間に残った連中に押さえこまれてしまうじゃないか……」

顔が恐怖に引きつっていた。

「じゃあ、どうすんのよ」

泣き出しそうな声を加奈子はあげた。

満はあたりをきょろきょろ見回している。落ちつきのない目は怯えの心そのものだ。

ふいに満が動いた。速かった。人影のいちばん薄い場所を狙って突っこんだ。二人のホームレスが撥ね飛ばされて地面にたたきつけられた。満は一人で走った。全速力で走って逃げた。一度も後ろを振り返らなかった。加奈子は一人でホームレスの群れの前に残された。

「女だぜ」

疳高くてねばっこい声が響いた。

「輪姦《まわ》しちまおうぜ」

周囲から嘲笑がわきおこった。

強姦される。これだけの数のホームレスから。加奈子はぺたんとその場に腰から落ちた。力が入らなかった。両方の目から涙が流れ出した。体が氷づけになったようにがたがたと震えた。失禁寸前だった。

「待ってくれませんか」

地面から声が湧いた。倒れている幹郎だ。苦しげにあえぎ声をあげて体をおこした。

「冗談だとは思いますが、そんなことをするのだけはやめてやってください」

「もちろん冗談さ」

ホームレスの一人がはっきりいった。

「俺たちはそんな野蛮な人間じゃない。だが、こいつらには俺たちの仲間がひどい目にあわされている。それ相応のつぐないをしてもらわなければ、腹の虫が収まらない。不公平がすぎる」

「お気持はわかりますが、ここは何とか穏便に……見逃してやってくれませんか」

「見逃せって、あんたも被害者だろうに」

「それはそうなんですが」

弱々しい声をあげる幹郎に、

「ミユキマートのオーナーだ」

ホームレスの間から大きな声が飛んだ。ざわざわと影が揺れた。声があふれた。

「あそこの店だけだぜ。俺たちが入っても嫌な顔ひとつしないのは。期限切れの弁当だって手渡しでくれるし。他の店では俺たちが待ってても、まずゴミ箱にいれるもんなあ」

様々な声が加奈子の耳に聞こえてきた。

突然、幹郎が地面に両手をついた。

「頼みます。この子を助けてやってください」

しぼり出すような声を出して、頭を地面にこすりつけた。信じられない光景だった。

「オーナーにそこまでされたら――」

そんな声が響いて、ホームレスの群れは潮が引くように二人の前を離れていった。

幹郎がふらりと立ちあがった。

「加奈子さん」と呼んだ。

知られていた。はい、といって加奈子はつけていたマスクをはずした。

「ちょっとつきあってくれますか」

幹郎はそれだけいって周囲を見回し、殴られたときに手から飛んだ小さな花束を地面からひろいあげた。花束は誰かに踏まれたらしく、花弁がいくつもちぎれて汚れていた。

「何時でしょうか今」

苦しそうに幹郎が訊いた。

「十一時四十分ですけど」

腕時計を見て答える加奈子に、

「すみませんが手を貸してくれますか。どうも肋骨が折れているようでうまく歩けない」

「救急車を呼んだほうが！」

加奈子が叫んだ。

「時間がありません。肩を貸してもらえるとありがたいんですが」

「はい。でもどこへ」

「この公園を抜けて、本通りに出たところの交差点に十二時までに行かなくては」

訳がわからないまま加奈子は幹郎に肩を貸し、そろそろと歩き始める。幹郎の顔が歪んでいた。額に脂汗が滲んでいた。

二人は一組になって無言で歩いた。蝸牛《かたつむり》のようにのろのろと歩いた。問題の交差点に着いたときは十二時ちょっと前だった。

「ありがとう。まにあいました」

幹郎は加奈子の肩から体をはずし、這うようにして花束を交差点の角に置いた。

「私の妻の死んだ場所です。今日はその妻の月命日でした。だから十二時までに、今日中にこの場所に来なければならなかったんです。加奈子さんのおかげで、まにあうことができて助かりました」

幹郎はしゃがみこんで合掌した。つられて加奈子も膝をついて手を合わせた。

「二年ほど前、この場所で大型トラックの後部車輪にひかれて妻は死にました。即死に近い状態でした……」

幹郎は座りこんだまま肩を落とした。

「私はひどい夫でした。会社に勤めているときは家庭などまったく頭になく、ほったらかしの状態で……浮気も何度もしましたし、妻の友人に手を出したこともありました。そんなときに、幼稚園に行っていた一人息子がひき逃げにあって死んだんです。妻が死ぬ八カ月ほど前のことです。半狂乱になった妻を見てようやく私は目が醒めました。そばにいなければと思いました。サラリーマンをやめて、妻と一緒にできる仕事をしようと思いました。それがあの店なんです。私の名前が幹郎、妻の名前が有紀美。だから二人の名前の最初をとってミユキマートにしたんです。私は小さなコーヒー専門店でもやろうといったんですが、コンビニにしようといったのは妻のほうです。なぜだかわかりますか」

「…………」

「賑やかだけど乾いているから……そう妻はいったんです。だからコンビニにしようと」

わかるような気が加奈子はした。

「でも妻は店が開店してすぐに、この場所でトラックにひかれて死にました。私は……あれはひょっとしたら自殺だったのかもしれないと今でも思っています」

何かを喋らなければと加奈子は懸命に言葉を探した。かけられる言葉は何もなかった。出てこなかった。

幹郎の顔から目をそらした。交差点の角に置かれた花束が目に飛びこんだ。誰かに踏みつけられて汚れきった花束だった。ふいに満に対して強烈な怒りが湧いた。

「いいんですよ」

と幹郎は薄い笑みを浮べ、

「汚れていてもちぎれていても、妻は許してくれるはずです。花のよしあしは二の次です」

幹郎は言葉を切って加奈子を眺め、

「男と女の間で許しあうということはそういうものです。それぐらいのことです。許しあうことなど、ほとんどの場合できないのが普通です。我慢するだけです。憎しみあったり罵《ののし》りあったりしながら。でも人間だからそれでいいんです。愛するということはそういうことだと思います。決してものわかりのいい男と女になることじゃないと思いますよ」

加奈子の顔を見て幹郎は微笑んだ。きれいな笑顔だと加奈子は思った。加奈子の胸にまたあの詩が浮んだ。

『汚れっちまった悲しみに
いたいたしくも怖気《おじけ》づき
汚れっちまった悲しみに
なすところもなく日は暮れる……』

胸の芯がぎゅっと縮こまった。

「……教えてください。汚れてしまったら人間はどうしたらいいんですか。元に戻る方法はないんですか」

「洗濯すればいいんです。汚れた部分をせっせとていねいに手洗いすればいいんですよ」

「…………」

「あとは時がきれいにアイロンをかけてくれるはずですよ」

幹郎はまだ微笑んでいた。嬉しそうな顔だった。そろりと立ちあがった。とたんに表情が苦しそうに歪んだ。よろけた。

「救急車呼びます」

加奈子はあわてて携帯を取り出した。

「救急車はやめましょう。妻の月命日にこの程度のことで救急車に運ばれてたら、それこそ妻が許してくれません」

「じゃあ、家まで送ります」

「いや。一人でそろそろ帰りますから大丈夫です。これぐらいの辛さを味わってちょうどいいんです、私のような人間は」

幹郎はそろそろと歩き出した。

黙って見ているよりしかたがなかった。

ふいに、幹郎の背中から独り言のように何かがあふれた。

「妻が死んで初めて私は妻を、本当に……」

小さな背中に見えた。

あとの言葉は聞こえなかった。

私は満と別れられるのだろうか。満の本心はわかったような気がしたけれど、それでも加奈子は満が好きだった。

携帯が鳴っていた。

加奈子は学校を休んで朝からずっとベッドにいた。一日中天井を見てすごした。そろそろ夕方に近かった。何をする気もおきなかった。

携帯はなかなか鳴りやまなかった。

枕許にある携帯の画面にちらりと目をやった。歯科医の山下だった。次の誘いだ。放っておいて天井を眺めた。ようやく鳴りやんだ。

あの、中原中也の詩の入ったラブレター、あれはいったい誰がくれたのか。

加奈子の胸に一人の男の姿が浮んでいた。幹郎だった。幹郎ではないかもしれないが、幹郎だと思った。

あの詩は幹郎によく似合った。

何とか若者風の文章を書こうともがいている幹郎の姿が、容易に脳裏に浮んだ。おかしかった。よく読めばかなりオジサンっぽい文面に見えないこともなかった。幹郎ではないかもしれないが幹郎だった。

携帯が鳴った。

手に取った。画面に目をやるとまた山下だった。加奈子は携帯を睨みつけるように見た。

セミの鳴き声のように頭の芯にまでやかましく鳴り響いた。

ベッドからゆっくりと起きあがった。

加奈子は携帯を投げつけた。壁にぶつかり嫌な音をたてて床に転がった。

かすかな鳴き声がまだ聞こえていた。

第七話　ベンチに降りた奇跡

時計を見ると九時に近い。

「そろそろですね」

カウンターの隣の治子が笑いかける。

「ああ」

と幹郎が気のない返事をすると同時に、入口のドアが開いて中年の女性が顔を覗かせた。

それからすぐに、どやどやと数人の女性客があとにつづいて店のなかになだれこんできた。

狙いは菓子の納まった棚だ。カステラやドーナツ、羊羹《ようかん》などの、いわゆるハンナマものやスナック菓子、なかには弁当《ベーハン》ものを手にしている女性客もいる。カウンターの前にずらりと並んだ。

幹郎は黙々とレジを打ち、代金を受け取る。

「ありがとうございます」

治子が愛想のいい声をあげて商品を袋にいれ、客を送り出す。ずらりと並んだ最後尾の客はしきりに時間を気にしていらいらしている様子がありありだ。

この状態が十分ほどつづき、あとはしんと静まりかえる。

「しかし、どうして事前に買っておかないのかねえ。そうすればあんなにばたばたしなくてもすむのに」

不思議そうな顔を幹郎が向けると、

「わかってはいるんだけど、なかなか。人間だから、そうはきっちりいかないんじゃないですか」

治子は頭を振った。

「女性にとって、食べ物は好きなテレビを見るときの必需品なんだろうか。そのあたりが男にはわからないなあ」

「必需品なんですよ。好きなテレビを見ながら好きなものを食べる。女性は欲張りだから、たくさんの楽しみを一度に味わいたいんですよ。一粒で二度おいしい。あれと同じことですよ」

「私なら、好きなテレビを見るときにはそれだけに熱中するけどなあ」

「女と男はまったく違いますから……」

治子はいってからふっと溜息をもらした。

コンビニの忙しい時間帯は日に三度あった。

朝の出勤通学前と昼休み、それに夕方から夜にかけての一時《いっとき》だが、まれに夜の八時台、九時台の終りに女性客が押しよせることがある。いわゆるテレビの連続ドラマの谷間の時間帯で、女性たちはこのわずか十分足らずの間に店に足を運び、好みの菓子類を手にしてまたお気にいりの連続ドラマに見入るのだ。

視聴率の高い人気ドラマが放映されるときにこの傾向が強いが、八時台はともかく、夜の十時前にはシャッターを降ろす準備にかかる幹郎の店には、九時台の終りは関係のない話だった。

「ねえ、幹郎さん」

と治子がくぐもった声をあげた。

「そろそろ、ここも終夜営業にしたらどうかしら。そうすればもっと注目してもらえるし、昼間の固定客にもつながるし、廃棄《ハイキ》する商品もかなり少なくなるはずだから。十時に閉店では、あまりに健康的すぎて……店なんて少しは不健康な部分があったほうが魅力があってはやるもんなんですよ」

「……………」

黙りこむ幹郎を睨みつけるように、

「近頃の幹郎さんを見てると、何だか昔に戻ったみたいで心配になります。商売は投げやりでちっとも身が入っていないし、店なんかいつ潰れてもいいっていうような雰囲気が体からは漂っているようだし……多分、喧太君と有紀美さんのことを思い出しているんだろうけど。

前にもいったように、あの二人のためにも幹郎さんがしゃんとしてこの店を守っていかないでどうするんですか」

治子のいう通り、ここ一カ月ほど、幹郎は交通事故で相ついでこの世を去った、一人息子の喧太と妻の有紀美のことばかりを考えていた。考えれば考えるほど商売に身が入らなかった。年に何度かはこういうことがあるが、今回は特にひどかった。

喧太はカンケリが好きだった。

家に閉じこもりがちな喧太を外に引っぱり出してカンケリを教えたのは幹郎だったが、運動神経がよくないせいか、喧太の蹴る缶は遠くには飛ばなかった。そのため喧太は車の通らない早朝の道路を選び、缶を蹴る練習をしていて車にはねられたのだ。

その喧太のあとを追うようにして、有紀美が事故にあって死んでからほぼ二年半が過ぎていた。幹郎は今でも、あれはひょっとしたら自殺なのではないかとひそかに疑っていた。胸の奥にやりきれなさを常に抱え、自分で自分を苛《さいな》むのが幹郎の日課ともいえた。

「ねえ。思いきって終夜営業にして、積極的に打って出ましょうよ」

再び治子が真剣な面持ちでいった。

「終夜営業なあ……」

いちおう口には出してみたものの、幹郎の顔には気のない様子が端的に表れている。

「そんなことより治ちゃん」

表情を曇らす治子に、幹郎はできる限り明るい声で呼びかけた。

「半月位前から、店の前のベンチに時々座って仲よく話しこんでいる男と女のお年寄りがいるじゃないか。あれはいったいどういう間柄なんだろうね。どう眺めても夫婦には見えないんだが」

「そんなこと」

とほんの少し治子は頰を膨らませ、

「知りませんよ。多分、恋人同士なんじゃないですか」

「恋人同士って、二人ともかなりの高齢者だよ……」

怪訝《けげん》な表情を幹郎は向けた。

「いくつになっても恋ぐらいしますよ。まだそれほどの年でもないのに、何に対してもやる気のないのは幹郎さんぐらいのものですよ。少しは、あの二人を見習ったらどうです」

治子はつっけんどんにいい、幹郎のそばからさっさと離れて倉庫《バックルーム》につづくドアを押し、奥に消えた。

治子の後ろ姿から目を時計に移すと、そろそろ九時半に近い。あと少しで閉店の準備だ。そう思いつつ正面に目をやると、カウンターの前に小学校二、三年生ほどの男の子がいた。幹郎の胸が大きく鳴った。

カウンターの上には缶コーラと餡《あん》パンとポテトチップスが置いてあった。あのときと同じだった。一年半ほど前の……。

「ありがとうございます」

幹郎は慌ててレジを打つ。代金を受け取りながら、

「坊や、久しぶりじゃないか。どこか遠くへでも行ってたのかな」

恐る恐る訊いてみた。

男の子は曖昧に首を振り、商品の入ったポリ袋を右手に持ってちょこちょこと歩いて出口に向かった。

喧太に似ていた。死んだ喧太にそっくりだと幹郎は思った。喧太であるはずがなかったが、喧太としか考えられなかった。

幹郎は喧太によく似た男の子が消えた闇の奥を店のガラス越しに、いつまでも見つめつづけた。


幹郎がその二人に気づいたのは、十月に入ってすぐのことだった。

『ミユキマート』の表のすみ、飲料水とタバコの自販機にはさまれた空間に三人掛けほどの小さな白いベンチが置いてあった。二人はそのベンチに腰をおろし、小さな声で会話をかわしていた。

夫婦には見えなかった。馴れ馴れしさがなかった。むしろ初々しかった。といって恋人同士と見るには年がいきすぎていた。男のほうは七十歳前後に見えたし、女のほうも六十代のなかばに見えた。

レジのカウンターから、ガラス越しに二人を見つけた幹郎は店を横切ってふらりと表に出

た。いい天気だった。見つめる両目が染まるほどの真青な秋空が広がっていたが、気温が少し高いような気がした。

　幹郎は躊躇なく二人の前に立ち、

「いい天気ですね」

と愛想よく声をかけて笑いかけた。

「あっ、これは」

　男のほうがすぐに立ちあがり、

「勝手に軒下をお借りして、ご迷惑をおかけしています」

　一緒に立ちあがろうとした老女を手で制して、深々と頭を下げた。

　長身の老人だった。着ているものも垢ぬけていて、明るいグレンチェックのズボンに細かい柄を織りこんだ黒っぽいジャケット。髪は真白でゆったりと後ろに流し、細い黒縁の眼鏡が洒落《しゃれ》て見えた。

「ごていねいにおそれいります。この店の者で堀といいます……今日は陽射しも強いようですから、よければ店のなかに入ってくつろがれたらいかがかと思いまして。奥には事務所もありますし」

「それはご親切にありがとうございます。私は志賀《しが》と申しまして……」

　と志賀と名乗った老人は傍らを振り返り、

「彼女は、和子《かずこ》さんといいます」

簡単に老女を紹介した。

和子は丸顔のふっくらとしたタイプで髪は半白、薄手のニットのセーターにふわりとした上衣をはおっていた。どうということのない服装だったが、凛とした緊張感のようなものが漂っていた。

「こんな年寄りに、お気をつかっていただき、ありがとうございます」

座ったままていねいに頭を下げる、和子の両の指はきちんと膝の上で揃えられていた。

志賀が目を細めて空を見上げた。

「いい天気です。陽射しは多少強くても、一年中でいちばん過ごしやすい季節です。こんな日に室内にいるのはもったいないとお思いになりませんか堀さん」

「…………」

「ご好意はとても嬉しく思います。しかしもう少し寒さを感じる季節まで、どうかこのベンチを貸してもらえませんか。年寄りが外で過ごせる時間は、一年のうちでほんのわずかな期間に限られていますからな。なるべく店には迷惑をかけないようにいたしますから」

「それはもう、もちろん、こんなベンチでよかったらどれだけでもお使いください」

ちょっと誤解されたかなと感じつつ、幹郎は慌てて口に出した。

「すみませんなあ」

と志賀は頭を下げ、どっこいしょ、といいながらベンチに腰を降ろした。

和子が目顔で志賀を迎えて口許に微笑みを浮べた。いきなり花が咲いたような笑顔だった。

幹郎は体中に途方もない羨しさを覚えた。志賀と和子の周囲だけ、空気の密度がぎゅっと引きしまっていた。

志賀が和子を見た。二人の頬がほんの少し赤く染まった気がした。少年と少女のようだと幹郎は思い、忘れてしまった何かを二人のなかに見た。

それから半月ほどたった今日。

表のベンチにはまた志賀と和子の姿が見えた。時間は午後の三時頃、二人は飽きることなく、すでに一時間近くベンチに座っている。

カウンターからガラス越しに二人の様子を見ながら、幹郎は奇妙な違和感を胸の奥にくすぶらせていた。それが何かはわからなかったが、普通の恋人同士からは感じられない不思議なものを二人は漂わせていた。

「気になるみたいですね」

雑誌を整理していた治子が戻ってきて幹郎に声をかけた。

「ああ……」

と幹郎は短く答えてから、

「恋人同士であることはわかるんだけど、何か違うんだよな。何となく不思議なものというか、奇妙な違和感を覚えてならないんだ。それが何だかわからないから、気になってしかたがない」

「多分……」

カウンターのなかの幹郎の隣に並んだ治子はくぐもった声をあげ、一呼吸おいて、

「あの二人、体の関係がないんだと思うわ」

一気にいった。

幹郎の心の奥で何かが音を立てた。そうだ、そうに違いない。奇妙な違和感の原因はそこにあるのだ。

「かといって、二人ともお互いの体が欲しくないわけじゃない。何かの理由で抑制してるだけのような気がするわ。でも必死になって我慢してるわけでもない……変ないい方だけど、さらりと我慢している。そんな表現がぴったりのような気がする」

ガラス越しに、治子も二人の後ろ姿をじっと眺めて確信じみたことをいった。

「体の関係がない……」

独り言のように呟く幹郎の胸に、清潔感という言葉がふいに浮んだ。そういえばあの二人、最初に言葉をかわしたときからいやに爽やかだった。まるで昔の少年と少女のように。原因はそこにあったのだ。しかしこの時代に……。

「体の関係はないけれど、あの二人、会話をかわしながら言葉で抱きあっているんじゃないかしら。何の変哲もない言葉と言葉で……精神と精神でセックスしてるのよ。私たちが想像もつかないような途方もない精神的なセックスを。そうとしか考えられない」

「精神と精神のセックス」

思わず口に出した幹郎に、

「羨しいんでしょ、幹郎さん」

治子が何気ない口調でいった。

「…………」

「私は羨しくない」

無言の幹郎に治子はきっぱりいい、

「言葉で抱きあう精神と精神のセックスより、私は生身の体を抱いてもらうほうがいい。女なら誰でもそう思うはず……おかしいわ、あの二人」

吐きすてるように治子がいったとき、ガラスの向こうで異変がおこっていた。

仲よく並んで座る二人の前に若い男が立ちはだかり何かを叫んでいた。

幹郎は入口のドアに向かって急ぎ足で歩いた。すぐに治子がつづいた。ドアを開けて表に飛び出した。

「何をしてるんですかあなたは。お年寄り二人に向かって」

若い男に幹郎が大声をあげた。

「何だよ、あんた」

逆に男は幹郎を睨みつけてきた。

まだ二十歳前、学生のように見えた。

「身内のことに他人が口を出すなよ」

思いがけない言葉を口に出した。

「身内！」

「そうさ。内輪の話なんだから、他人のあんたにとやかくいわれる筋合はないよ」

「すみませんなあ、堀さん」

座っていた志賀が立ちあがり、幹郎に向かって頭を下げた。

「孫なんですよ」

かすれた声でいった。

「お孫さんですか……」

「はい。お見苦しいところをお見せして、本当にお恥ずかしいんですが」

「何が恥ずかしいんだよ。恥ずかしいのはそっちだろ。いい年のじいさんが、いい年のばあさんといちゃついたりして。少しは家族のことや世間体を考えろよ」

「黙りなさい、義明《よしあき》。和子さんに対して失礼じゃないか」

「黙らねえよ。何が和子さんだよ。別れたと思ったらこんなところでいちゃついたりして、恥を知れよ、年を考えろよ、気持悪いよ、汚いよ」

義明と呼ばれた若い男は志賀を睨みつけて一気にまくしたてた。

裏通りといっても人の行き来はある。ちょうど人通りの少ない時間帯ではあったが、それでも怪訝な表情をして数人の通行人がミユキマートの入口をうかがっていた。

「まあ、ここでは何ですから。どうですか、店のなかに入って話し合っては」

と、幹郎が志賀に声をかけてベンチの和子に目をやると様子がおかしかった。

顔色が異常に青かった。肩が小刻みに震えていた。

「和子さん！」

志賀が怒鳴るような声をあげた。

「大丈夫」

と、かすれた声を和子は出し、バッグを探って小さな壜《びん》を取り出した。錠剤を手の上に出し、口のなかに含んでかりっと嚙んだ。

「莫迦者が。もし和子さんの身に何かがおこったら、どう責任を取るつもりだ」

志賀が義明を睨みつけた。怖い目だった。目の奥が燃えているようだった。

「すみませんが堀さん、店のなかで少し休ませてもらえますか。しばらくすれば普通に戻ると思いますから」

「もちろん、いいですよ」

幹郎はすぐにうなずいて、

「何でしたら、二階が住居になってますので布団を敷きますが」

「いえ、そこまでは。ゆったりとしたイスがあれば充分です。軽い発作ですから」

志賀は和子に手を貸して立たせ、

「お前は帰れ。帰って反省しろ」

義明に低い声でいった。目の奥がまだ燃えていた。

事務所の奥の長イスに和子は寝かされた。幹郎から渡された毛布を体にかけてやりながら、

「彼女……矢島《やじま》和子さんていうんですが、狭心症の持病があるんです」

ぽつんという志賀に、

「狭心症ですか……」

「はい。だからいつ発作がおきて心筋梗塞《しんきんこうそく》に陥るか心配で……でも今日は不整脈もまったく出てませんから大丈夫です」

和子の脈を指で探って志賀はいった。

「不整脈が出るとよくないんですか」

「極端なことをいえば、ほんの数分で命をなくすこともあると医者はいっていました。そうなったら、いくらニトロを飲んでももう駄目だそうです」

「ああ、さっきの薬ですね」

「これまでにもう二度ほど彼女は救急車で病院に運ばれてますから。だからなるべく、精神的な動揺や過激な動きをさせないように注意は払っているんですが、今日のようなことがありますとな」

肩を落とす志賀に、

「お孫さんだとか――」

「たった一人の男の孫です。大学の二年生なんですが、決して悪い子では……多分、私のあとをつけてきたか、見当をつけてここで見張ってたんでしょうが、我慢できなくなって飛び

出してきたんでしょうな。おそらく、息子夫婦にいろいろ吹きこまれてきたんだと思いますよ」

「…………」

「私の息子と、その嫁ですよ。いい年をして、いい年をした女にうつつを抜かすなどみっともない、私がそんなふうでは家族は恥ずかしくて外も歩けない。老人は老人らしく家でじっとしているか、盆栽でもなぶっていればいいというのが彼等のいい分です。しかし、老人だって人間です。好きな女性ぐらいはできます……私は十五年ほど前に妻をなくしていますし、和子さんも十年ほど前にご主人をなくしています。世間体は確かにあるでしょうが、本来なら誰に後ろ指をさされることもないはずです。それでも私たちは大手を振って逢っていたわけではありません。なるべく世間様に遠慮して小さくなってつきあっていたつもりです……それに」

といって、志賀はそれまで伏目がちにしていた両目を真直ぐ幹郎に向けた。

「……こんなことをいうのはおこがましいんですが、私と和子さんは清い関係です。彼女を送ってアパートの部屋の前まで行っても、なかに入ったことは一度もありませんし、抱きあったこともキスをしたことも、手さえ握りあったこともありません。何ら疚《やま》しいところのないきれいな関係です。これだけは誰にでも胸を張っていえます。むろん、和子さんの体を気遣ってということもありますが、病気の件がなくても私たちは清い関係をつづけていたと思いますよ。古くさいとお思いでしょうが、人間としての道を外すことは私たちの世代にはなかなかできませんから」

一気に喋ってから志賀はちょっと唇を湿らせて、

「逢うのも精々月に数度です。そのうちの二回は彼女の病院のつきそいにあてています。今日も実は病院の帰りなんです。この近くに病院がありまして、彼女の住んでいるのもここから割に近い都営アパートなんですよ」

そこまで口にしてから急に志賀は声の調子を落とした。

「老人同士の恋というのは、それほど見苦しいものなんでしょうか。恥ずかしいものなんでしょうか。してはいけないものなんでしょうか。教えてもらえませんか堀さん」

すがるような目を向けた。

「私は――」

と幹郎はのどにつまったような声をあげてから志賀を真直ぐ見つめ、

「人を好きになるのに年は関係ないと思いますよ。若者でも中年でも老人でも、恋をするのに障害などはありません。相手に対して心が疼けば、それを止める権利は誰にもありません。というより止めようがないでしょう。それで止まるようなら、多分それは恋などではないんでしょう。私はそう思いますよ」

皺の刻まれた志賀の顔がくしゃりと歪んだ。

「ありがたいですなあ。そういわれると勇気が湧いてくるような気がします」

両目が潤んでいるように見えた。

「そもそも私たちのなれそめは、この店の前の、あの小さなベンチからなんですよ」

と志賀は鼻の下を手でつるりとこすって恥ずかしそうな声をあげた。

志賀が和子と知り合ったのは、八カ月ほど前の冬のことだという。

「この店の前のベンチで、今日のように和子さんが青い顔をして座っているのを、ちょっと遠出の散歩をしていた私は偶然見つけたんです。幸い彼女の症状は、今日のようにしばらく休んでいれば治まるほどのものでほっとしたんですが……それが私たちのなれそめなんです。それから急速に親しくなりましてな」

三カ月ほどしてから、志賀は夕食の席で和子との件を詳細に家族に話した。誰かに聞いてもらいたかった。一緒になって祝福してもらいたかった。

「これで生きるはりが湧いてきたよ。とてもいい人なんだよ」

軽い気持、で家族の承諾を得ようと嬉しさのあまり話をしたのだが、これが家族の猛反対にあった。

みっともない。世間体が悪い。恥ずかしい。年寄りは年寄りらしいことをすればいい……こんな意見が志賀を集中的に襲った。特に辛辣《しんらつ》な言葉を口にしたのは、今年四十五になる息子の嫁だった。

「お義父《とう》さん、年を考えてくださいね。今頃そんなガールフレンドを作って卒中《そっちゅう》でもおこされたら誰が面倒を見るんですか。少なくとも私は遠慮しますからね。何のばちが当ったんでしょうね、こんな話をお義父さんの口から聞くはめになるなんて、ああ汚らしい。寒気がしてくるわ。すぐに別れてくださいね。すぐにですよ」

息子の嫁はこういって、ぶるっと体を震わせたという。

志賀の家は息子夫婦と、女二人に男一人の三人の孫を合わせて六人家族だったが、助け舟を出して賛成してくれる者は一人としていなかった。反論する余地はどこにもなかった。

それから数日して、志賀は和子と別れたと家族に宣言した。むろん、嘘の報告だった。志賀と和子はひそかに逢う瀬を重ね、恋心はますます強くなっていった。

「可もなく不可もなく、こつこつと役所を勤めあげて無事定年退職をして十年ちょっと。十五年ほど前に妻をなくし、ようやく自分にも春がめぐってきたと思ったらこの始末です。情けないやら腹が立つやら。しかし、どこの家でも年寄りというのは弱い立場ですからなあ。どうしようもありません」

「そうですねえ」

というより幹郎には返す言葉はなかった。

「最初は本気にしたものの、疑いの気持はずっと胸のなかにあったんでしょう。私と和子さんが本当に別れたかどうか。それで孫の義明に見に行かせた。私がこの店の前のベンチで和子さんと出逢った件は家族にも話してありましたから。この近所であいつは見張っていたのかもしれませんな。嫁の差金《さしがね》ですよ」

軽い吐息を志賀はもらした。

「和子さんのご家族のほうは、どんな反応を示したんですか」

と、それまで黙って話を聞いていた治子がふいに言葉を挟んだ。

「私のほうは……」

長イスから声が響いた。和子がゆっくりと体を起こすのが見えた。

「和子さん！」

つまった声を志賀が出した。

「大丈夫ですよ。もうすっかりよくなりましたから」

ふわりと微笑んで、

「私は一人暮しですから誰も文句をいうものはいないんです。息子が二人いますけど、一人は名古屋、もう一人は仙台で所帯を持っていて、顔を見せるのは数年に一度ぐらいですから……仙台にいる長男のほうが一緒に暮さないかとはいってくれるんですが、この年になってよその土地に行くのは。やはり住みなれたところがいちばんですからね」

和子は淡々と話した。

「一人暮しなんですか。それも何かと大変ですねえ」

「頼りになるのは重政《しげまさ》さんだけ。それもこれからどうなりますでしょうか」

重政というのは志賀の名前らしい。

「何も心配はいらないよ。これ以上、家族がうるさくいうようなら、私は家を出るつもりだから」

「そんなこと――」

といって和子は視線を床に落とした。

「彼女を一人で残すことはできません。幸い私は体だけは丈夫ですから。できるなら彼女のそばにいて看取ってやりたいんですよ。一人で逝かせるわけにはいきませんから」

といってから、

「むろん、長生きしてもらわなければ困りますけどね」

志賀は慌てて言葉をつけたし、長イスの脇によって立ちあがる和子に手を貸した。

「じゃあ、そろそろ失礼しようかね」

こくんと子供のようにうなずく和子によりそい、

「本当にご迷惑をおかけしました」

志賀は真白になった頭を深々と幹郎と治子に下げた。

「いえいえ、こちらこそいろいろといいお話を聞かせていただいて。どうかいつでも気軽にこの店に遊びに来てください。お二人揃って」

顔の前で手を振る幹郎に、

「お礼といっては何ですが、どうですか堀さん、近いうちにそこいらで一杯。ご馳走させてくださいませんか」

志賀は品のいい笑顔を向けた。

「ご馳走はともかく、私のほうはいつでも大歓迎ですよ」

「じゃあ明日の夜はどうですか。今夜は多分、うちのほうは修羅場になるはずで出てこられないでしょうから」

いいですよ、とうなずく幹郎に、志賀は店の終るころを見はからって迎えに来るといって

和子と一緒に背を向けた。志賀の住まいは隣町だった。

小さな駐車場を二人仲よく歩いていく後ろ姿を見ながら、

「絵になりますね」

ぽつんと治子がいった。

二人はどこから見ても似合いのカップルそのものだった。

次の日の午後、菓子折を持った和子がミユキマートを訪れた。

半白の髪に、ふわりとパーマをかけた頭を深く下げて昨日の礼をいう和子に、

「お体のほうはもういいんですか。出歩いて大丈夫なんですか」

心配になって幹郎は声をかける。

「はい、おかげ様で、普通の生活をしていれば何のさしさわりもありません」

和子はふくよかな頰を崩して微笑んだ。とろりとこぼれるような可愛い笑顔だった。老女の色気というものを初めて見たような気が幹郎はした。

「志賀さんから何か連絡は」

「ええ。今日の午前中に……何やら昨夜は大分家族からとっちめられたようで。でも、絶対に別れる気はないから心配はいらないっていってましたけど」

和子の色っぽさが一段と増し、そしてふいに消えた。

「あの」

と和子はかすれた声を出し、

「六十なかばの年老いた女が、男の人を好きになるというのは、やはりふしだらなことなんでしょうか。許されることではないんでしょうか」

伏目がちに幹郎と治子を見た。

「そんなことはないわ」

治子がびっくりするほど大きな声をあげた。

「そう。治ちゃんのいう通りだと、私も思いますよ」

幹郎は治子の顔をちらりと眺めていい、

「こんなところで立ち話も何ですから、どうぞ事務所のほうに入ってください。お客もいませんし、モニターを見ていれば大丈夫ですから」

三人は店の奥の事務所に入り、治子はすぐにお茶の仕度をして中央の大きなテーブルの上に並べた。

「男と女はいくつになっても男と女。年をとったからといって何かに変るわけでもなんでもないですから。だから和子さんが気にすることなんてひとつもないと思うわ」

たたみかけるような治子の言葉に和子はこくりとうなずいた。

「そうですよ。ようは気力の問題で年の問題じゃない。誰かを好きになれるってことは、それだけ心のほうは丈夫だということなんですよ。精神が元気なんですよ」

「でも」

と治子は一瞬いいよどみ、

「元気なんだけど、決して健康的じゃないような気がする」

和子の顔をじっと見つめた。

「どういうことなんでしょうか」

治子は茶碗のお茶をずっとすすりこみ、

「なぜ、それだけ愛しあっていながら清い関係をつづけているんですか。愛しあっているんなら、お互いの体を欲しいと思うのはごく自然なことでしょう。それが、抱きあったこともなければキスをしたこともない。手を握りあうことさえないというのは、どうしても私には納得できないんです。純愛というと聞こえはいいけれど、私には不健康そのものとしか思えないんです」

再び和子の顔をじっと見た。和子は視線を外してうなだれた。

「おいおい、治ちゃん」

見かねた幹郎が思わず口を開く。

「志賀さんは和子さんの体を心配して自制してるんだよ。もしそんなことをすれば発作がおきるかもしれないことは、治ちゃんだって想像はつくだろう」

「それはわかります。でも昨日の志賀さんの口ぶりからは、それだけじゃなくて何かそうしないことが美徳であるような感じも伝わってきましたし」

今日の治子は執拗だった。

「愛の形は人それぞれなんだ。十人いれば十人十色。愛情の表現はみんな違う。人によって様々なんだ。志賀さんにとっては和子さんを大切にしていくことが最大の愛情の表現なんだ。それが志賀さんと和子さんの愛の形なんだと思うよ」

「違うわ」と治子は叫んだ。

「愛の形は様々だなんて男の単なる幻想よ。男はそういって自分の行為に酔っているだけ……女にしたら愛の形なんてたったひとつ。好きな男の人に力一杯抱きしめてもらうこと、好きな男の人とひとつになること。それが女にとっての愛の形。もしそういう気持がないのならそんなのは本物じゃない」

むきになったように一気に喋る治子の顔を、幹郎は茫然と見つめた。治子のいうことにも一理あった。本質をついている言葉かもしれないと思った。そして治子自身の淋しさを幹郎は強く感じた。

今年三十二歳になる治子は修羅場をくぐってきた女だった。

治子の夫は浮気と借金まみれになりながら、それでも別れようとしない男だった。そのため治子は深夜眠っている夫を揺り起こし、出刃包丁をつきつけて「殺してほしい」と迫って離婚を承諾させた。

その後、治子がほのかな思いをよせたのは一まわり以上、年の違う幹郎自身だった。しかし幹郎は妻と子供の死から立ち直れず、治子の思いを無視するしか仕方がなく、そのせいなのか治子はヤクザの八坂とつきあいを始めたが結果は無惨に終った。

その治子がむきになって男と女のあり方を和子と幹郎に向かって叫んでいた。自分の思いを何かにぶつけるように。

「うんと年下の私がこんなことをいうのは気が引けるんですが」

と治子はまた恋する老女に語りかけた。

「和子さんは、志賀さんに抱いてほしいと思ったことはないんですか」

思いきったことを訊いた。

「……ありますす。私も女ですから」

しばらくして和子は低い声をあげた。

「だったら、いうべきです。和子さんのほうから志賀さんを誘えばいい。心臓に負担をかけない優しい方法だってあるはずです」

今までとは違い、柔らかすぎるほどの口調で治子はいった。

その場の雰囲気を押しやるように、茶碗に手を伸ばしかけた和子の指が途中で止まった。指輪ひとつはまっていない、皺は無数にあったが清潔な指だった。

「実は、いったことはあるんです」

「………」

「いったことはあるんですが、そのとき志賀さん、それをしたらせっかく築きあげた私たちの純粋な関係が汚れてしまう。今のままの精神的な関係を保っていくのがいちばんいいって……そういわれました」

消えいりそうな声を和子は出した。

「和子さんにそこまでいわせて、志賀さん、そんなことをいったんですか」

治子は腕を組み、

「勝手だわ」

とぽつんといった。

「一度で諦めちゃ駄目。何度でもいうべきだと私は思う。男なんて口が酸っぱくなるほどいわなければわからない生き物なんだから」

「…………」

「そして思いきり抱いてもらお。激しくやったっていいじゃない。それでもし、命がなくなったとしても……いいじゃないですか。たとえ命がなくなっても死んでるのか生きてるのか、生殺しのような状態よりはよほどまし。そうは思いませんか、女として」

顔を覗きこむようにいう治子に、

「思います。死んだとしても本望です」

和子ははっきりいった。ふっくらとした顔が紅潮していた。どきりとするほど強烈な色っぽさだった。和子の老いた体全部が紅色に染まっているようだった。

そのためなら死んでも本望……幹郎は和子の思いを叶えてやりたいと思った。心の奥が熱くなった。同時に悪寒のようなものが体中に走るのを感じた。ぶるっと震えた。

「きまり」

と治子は叫び、

「思いきり燃えてみよ、和子さん。命がつきるまで燃えてみよ。死ぬ気でやってみよ」

和子の皺の浮いた手をぎゅっと握り、

「幹郎さん。今夜、志賀さんに会うんでしょ。そこのところを、ちゃんと話してやってよ。きちんとわかるように」

怖い目で睨みつけた。

「ああ」

かすれた声を幹郎はあげた。


その夜、そろそろシャッターを閉めようとカウンターから幹郎が出ようとしたところへ、小さな体がちょこちょこと近づいてきた。カウンターの上に缶コーラと餡パンとポテトチップスの袋がそっと置かれた。

あの子供だ。死んだ喧太に似た男の子だ。

「毎度ありがとうございます」

胸が早鐘のように鳴っていた。

代金を受け取り、商品をポリ袋のなかにいれながら、

「坊や、どこに住んでるんだ」

ようやく声を出してみたが、いつものように男の子は無言で曖昧に首を振るだけだった。

幹郎の胸を一瞬やるせなさが突きぬける。とたんに、

「またくるよ」

男の子は幹郎の胸のなかを察したように低い声をあげて、ちょこちょことポリ袋を片手に店のなかを抜けていった。

幹郎の目頭が急に熱くなった。

「喧太……」

声に出して呟いてみた。

カウンターの上に涙が落ちた。

男の子が最初にミユキマートに現れたのは一年半ほど前の冬だった。今と同じように商売をする気などまったくなく、投げやりな毎日を送って治子に文句をいわれつづけていたときだった。

そんなときにあの男の子は現れた。

買うのはいつも缶コーラに餡パンにポテトチップスだった。何を訊いても無言で答えようとしなかったが、たった一度だけ口を開いたことがあった。

「坊や……カンケリを知ってるか」

と、恐る恐る訊いたとき、

「知ってるよ」

と男の子は答えて、妻の有紀美によく似た綺麗な目で幹郎を見上げ、今夜と同じようにポリ袋を片手にちょこちょこと店を抜けていったのだ。

あのときも幹郎は泣いた。誰もいなくなった店のなかで声を出さずに泣いた。あの子は自分が落ちこんでいるときに限って現れる……カウンターにこぼれた涙のあとを見ながら幹郎はそんなことを漠然と考えていた。

志賀が姿を見せたのは、それから三十分ほどしてからだった。

幹郎はミユキマートから歩いて十分ほどのところにある、居酒屋の『万吉』に志賀を誘った。

カウンターの前に座り、刺身の盛り合わせをつまみながらビールを飲み、

「どうでしたか昨夜は。何とか無事に収まりましたか」

「集中砲火ですよ。家族のあんな怖い顔は初めて見ました。針のむしろでしたな」

そういう割には志賀はそれほど困った表情はしていなかった。

「しかし、何とかきり抜けたようですね」

と訊いてやると、

「今の言葉でいう逆ぎれですな。伝家の宝刀を抜いてやりました」

「伝家の宝刀？」

「はい」

面白そうに顔を崩し、志賀は一気にコップのビールを飲みほした。

「実は……結婚という言葉を出してやりました。お前たちがそれほどやかましくいうのなら私は家を出る。家を出て和子さんと結婚して一緒にアパートで暮す。こういってやったのです。家族中がしんと静まりかえりましたよ。特に嫁の顔といったら。真青になってぶるぶる震えていました」

「…………」

「私はようやく嫁の真意がわかったような気がしました。世間体が悪いというのももちろんあったんでしょうが、それ以上に嫁が恐れていたのが和子さんとの結婚という言葉なんですよ」

志賀は手酌でビールをつぎ、気持よさそうにまた一気に飲みほした。

「財産ですよ。私が和子さんと結婚すれば取り分が激減しますからな。といっても、ちっぽけな家と土地だけですけどね」

「財産ですか」

幹郎は声をしぼり出した。

「それからはまるで、腫物《はれもの》にでもさわるような待遇ですよ。みんな私から目をそらせるような雰囲気で。これで多分、しばらくは大丈夫でしょう」

それから志賀はふっと生真面目な表情を浮べてぽつりといった。

「家族って、いったい何でしょうね」

「家族ですか」

幹郎は一瞬考えこみ、

「温かくて冷たいもの。いうなれば諸刃《もろは》の剣のようなもの。錆びているかもしれませんが
……いつの世も物騒ですから諸刃でも剣は必需品ではありますが」

「錆びついた諸刃の剣ですか」

吐息と一緒に志賀は低い声でいった。

二人はしばらく黙って飲んだ。

「それより志賀さん――」

幹郎は今日、和子が店を訪れた際の会話を簡単に話して聞かせた。

「そうですか」

と志賀は幹郎から視線をそらし、

「和子さん、そんなことをいっていましたか」

「はい。死んでもいいからと。とても可愛い女性じゃありませんか」

「死んでもいいから、ですか……」

志賀はのどの奥で呟き、

「私の両親はクリスチャンでした」

一瞬の間を置いていった。

「クリスチャン！」

「ええ。ふた親とも小学校の教師をやってたんですが、とても敬虔《けいけん》なカトリックの信者だったんです。幸いというか何というか、私が物心がついたときはちょうど日中戦争が始まったころで、両親は物騒な世相を考えてか私に洗礼を受けろとはいいませんでした。だから私自身はクリスチャンでも何でもないんですが、キリスト教的な両親の生き方に大きな影響を受けたことは確かです」

「つまり。汝《なんじ》、姦淫《かんいん》するなかれ、ですか」

「はい。雀、百までのたとえ通り、そうした教えがいまだに頭の奥にこびりついて……むろん、私と和子さんがきちんと結婚すれば話は別なんですが――」

「それはやっかいな話ですね。宗教がからんでくるとなると、なかなか」

溜息をつきながら幹郎はいった。

「といっても、世のなかを渡っていくために多かれ少なかれ、嘘などけっこうついてるのも確かですから、いいかげんなものではあるんですが。男と女の関係となるとなかなか」

「そうですねえ」

としか幹郎にはいいようがない。

「だから、好きな女性ができて切羽つまっても心中もできません」

「心中ですか?」

「まあ、心中は冗談ですが。もし和子さんが死んでも、私には後追い自殺をすることも許されないんです。残酷な話です」

やっと納得がいった。キリスト教では自殺を禁じているのだ。

「体の関係はなくても、私が和子さんを死ぬほど深く愛しているのは事実です。しかし和子さんは持病を抱えていて、いつ私の前からいなくなってもおかしくない体です。そうなったら私はどうしたらいいのか。結婚の可能性のある和子さんがいなくなれば当然、私に対する家族の遠慮もなくなり、風あたりも強くなるでしょうし。それよりも何よりも彼女がいなくなったら私はどうやって生きていけばいいのか」

深刻な表情で重い吐息をもらし、

「一緒に死ぬことができれば、彼女にとっても私にとってもいちばん幸せなんですが」

ぽつりと志賀はいった。

「ひとつだけお訊きしたいんですが。宗教的なものを別にすれば、志賀さんは和子さんとセックスをしたいと心の底から思っていることは確かなんですね」

「もちろんです。下卑《げび》たいい方をすれば、やりたくて仕方がないのは事実です。和子さんが相手ならちゃんとできる自信もあります」

勢いこんでいう志賀に、

「それを聞いて安心しました。その情熱だけは確実に和子さんに伝わるはずですから。それもひとつの救いになるでしょうから」

幹郎はしみじみとした口調でいって一人でうなずいた。

「情けない男です。死ぬほど好きな女を抱くこともできないんですから」

志賀は自嘲的な笑いを浮べ、

「来週もまた病院の帰り、あのベンチに座らせてもらいますからよろしくお願いいたします。暑い盛りは喫茶店や公園で話をしてたんですが、やはり和子さんと私にとっては、あのベンチがいちばんの思い出の場所で特等席ですから。気候のいい、ほんの一時しか利用できないのが泣きどころではありますが」

「もちろん。いつでも、どんなときでも好きなだけ使ってください。あのベンチもそれだけ愛されれば本望でしょう」

「ありがとうございます」

「じゃあ、飲みましょう。お互いに年ですから徹底的というわけにはいきませんが」

幹郎はコップに手を伸ばして、志賀と顔を見合わせた。

「もうそろそろ、来るんじゃない」

治子の言葉に時計を見ると一時半を少し回っていた。確かにもうそろそろだ。

「でも悲劇ですよね。宗教のために好き同士が愛しあうことさえできないなんて。そんな宗教、蹴とばしちゃえばいいのに。そうすればことは簡単なのに」

治子は乱暴なことをいった。

「子供のころからの教えを消すことは、なかなか容易なことじゃないと思うよ。特に老人は頑固な人が多いから、よほどのことがない限り、信念を曲げることは無理なんじゃないかな」

「和子さん、かわいそう。死んでもいいつもりなのに、抱いてもらえないなんて」

「セックスだけが愛の形じゃないから」

「だから、それは男の勝手な思いこみだっていってるじゃない」

治子はぷっと唇を尖らす。

「いっそ、本当に結婚しちまえばいいんだよな」

「そうそう。それがいちばん」

「しかし、そうなると家庭争議がおこるだろうしな」

「それも大変ですよね……でも何がいちばん障害になってるんだろ。何が二人の間を邪魔してるのかしら」

「二人が年寄りってことさ」

「そうか。年寄りってことか」

「よほどのことがない限り、今のこの国では、お年寄りは一人前としてあつかってもらえないから。それがいちばんの問題になってるんだと思うよ」

「いずれみんな、年寄りになるのにね」

いいながらガラス越しに外を注視していた治子が声をあげた。

「来たわ」

小さな駐車場を横切って、志賀と和子がミユキマートの入口に向かって歩いてくるのが目に飛びこんできた。

「こんにちは」

ドアが開いて声がかかった。

「いらっしゃい」

愛想よく声をあげる幹郎と治子に、

「お世話になります」

二人は深々と頭を下げ、

「あの、ベンチの上なんですが」

不思議そうな表情を浮べた。

「ああ。座布団《ざぶとん》ですね。長時間座っていると尻が痛くなるだろうからって、治ちゃんが用意したんですよ」

「そんなことまで」

和子が高い声を出した。

「かさねがさね、お心遣いをしていただき、本当に何といっていいのやら」

「それぐらいしか、私にはお手伝いすることができませんから」

治子は柄にもなく、照れた顔をして二人に軽く頭を下げた。

空が抜けるように青かった。

淡く流れているのは鰯雲《いわしぐも》だ。あと半月もすればそろそろ秋も終る。風がほんの少し冷たく感じられた。

ガラス越しに、仲よく座っている志賀と和子の後ろ姿が見えた。ベンチに座ってすでに三十分以上が過ぎている。

「いったい、何の話をしてるのかしら」

「見当もつかないなあ。若い者ならともかく、年寄り同士でつきぬ話題がそれほどあるとは思えないんだけど」

「二人とも、自分たちが年寄りだなんて思ってないのよきっと」

「そういうことか」

と幹郎は呟き、

「どれ、ちょっと陣中見舞いにでも行ってくるか」

「よしなさいよ。せっかく二人だけの世界を創造しているのに、それじゃあまるで意地悪じいさんじゃないですか」

「いや。風がちょっと冷たそうだから、熱いお茶なんてどうかと思ってね」

いうなり、幹郎はカウンターを出てドアに向かって歩いていった。

外に出ると体がすっと冷えた。やはりいつもより風が冷たかった。

「失礼します」

と幹郎は声をかけて二人の前に立ち、

「風が冷たくなってきましたから、熱いお茶なんかどうかと思いまして」

「そういえばそんな気がしないでもないですな。ちっとも気がつかなかった。どうしますか和子さん、熱いお茶」

「いえ、私はまだ。どうせいただけるならもう少しあとに、できればお店のほうで」

「じゃあ私もそうしよう。すみませんな堀さん、勝手なことばかりをいって」

頭を下げる二人を見ながら、どこかいつもと雰囲気が違うなと幹郎は思った。何だろうと考えてみて、ようやく座布団に思いあたった。座布団の上に腰をかけている二人は、恋人同士というより完全に夫婦だった。年老いた仲のいい夫婦……座布団一枚がこれだけ雰囲気を変えてしまうとは。驚きだったがほほえましい光景に見えた。似合いだった。

そのときだ。

突然、和子が左胸を押さえてかがみこんだ。

「あっ」と志賀が叫んだ。

「どうしました」

幹郎は叫んだものの何が何だかわからず、ようやく心筋梗塞という言葉に思いあたった。発作がおきたのだ。

志賀が和子の背中に左手をまわし、右手でバッグのなかの薬壜を探している。幹郎も慌ててバッグの口を大きく開ける。そのとき、青い顔をした和子の口がかすかに動くのがわかった。

「抱いて……」

和子は確かにそういった。いい終えた瞬間、和子は首をがくりと倒した。志賀の手から薬壜が落ちた。

「和子さん」と叫んだ。

返事はなかった。和子はすでに息をしていなかった。

「救急車」

と叫ぶ幹郎に志賀がゆっくりと首を振った。

「手遅れです……もう手遅れです」

泣くような声でいった。

苦しみ出してからほんの数分の出来事だった。なす術《すべ》がなかった。志賀は両腕でしっかり和子を抱きしめ、

「堀さん」と両目を潤ませていった。

「実は……三日前に彼女に逢って、アパートの部屋の前まで送っていったとき、抱いてほしいといわれたんです、和子さんに」

「…………」

「ぴたっと私の目に視線を合わせてきた和子さんの目は、熱い光を放っていました。唇が濡れたように輝いていました。とても色っぽくて私の体も熱く疼いて、思わず彼女の部屋に一緒に入ろうと思ったほどです。しかし私はぎりぎりのところでこらえました。なぜだかわかりますか」

志賀は何がいいたいのか。幹郎にはまるで見当がつかなかった。

「彼女を抱いて発作がおき、そのまま死んでしまったら自分の立場はどうなるんだろう。私はそんな勝手なことを考えたんです。地位も名誉も何もない、ただの年寄りの私が自分の保身を考えたんです。私は彼女にいつものように清い関係でいようと諭しました。すると彼女は、せめてキスだけでもいいからしてほしいといったのです。私はそれもやんわりと断りました。キスをすればそれだけでは終らない、必ず行きつくところまで行ってしまう。私はそれが怖かったんです」

志賀は両手で和子を抱きしめながら、淡々と幹郎に向かって話した。

「まさか和子さんに誘われて、自分がそんなことを考えるとは夢にも思っていませんでした。クリスチャンだの何だのと偉そうなことをいっていた私が、いざ土壇場《どたんば》になるとそのざまです。死ぬほど和子さんの体を抱きたいくせにその始末です。私は偽善者です。情けない人間です」

幹郎を見る志賀の目から大粒の涙があふれていた。志賀は流れ出る涙をぬぐおうともせずに幹郎をじっと見た。

「そんな情けない人間ですが」

志賀は声をつまらせて高い声を出した。

「私は和子さんと結婚しようと思います」

結婚だって……一瞬、志賀は錯乱したのではないかと幹郎は思った。

「立会人になってください。私と和子さんの結婚の」

「……………」

「神の御前《みまえ》で、矢島和子と志賀重政の結婚を認めます……そういってくれればいいのです。どうかお願いします」

やっと理解できた。志賀は死んだばかりの和子と形だけだが結婚の誓いをしようとしているのだ。

「わかりました」

と幹郎はいい、

「神の御前で、矢島和子と志賀重政の結婚を認めます」

厳かな口調でいった。

「ありがとう……」

袖口で涙をぬぐい、志賀は腕のなかの和子をじっと見た。

綺麗な死に顔だった。柔らかな表情だった。ふっくらとした両頬にはまだ赤みが残り、まるで生きているような顔に見えた。「抱いて」と呟いた半開きの唇には赤いルージュが艶やかに光っていた。

志賀はそっと半開きの唇に自分の唇をよせた。密着させた。何度も何度も志賀は和子の唇を吸った。

気がつくと、幹郎の後ろに治子が立っていた。無言で志賀の様子を見ていた。唇を離した志賀は力一杯、和子の体を抱きしめていた。抱きしめながら大粒の涙をぽろぽろと流した。

「志賀さん」

と幹郎は志賀に声をかけた。

「そろそろ病院に運びましょう。死亡診断書を書いてもらわなければ」

「あと五分だけ、あと五分だけ待ってください。お願いします」

切羽つまった声を志賀はあげた。

異変を察したらしく、数人の通行人が立ち止まって志賀の様子を見ていた。そのなかに見た顔があった。志賀の孫の義明だった。また様子を見にきたらしい。すっと幹郎のそばに近よってきて、

「何してるんだ、じいちゃんは」

怒ったような声をあげた。

「志賀さんは今、和子さんと結婚したんですよ」

ぽつりという幹郎に、

「何を莫迦なことをいってるんだ。こんな通行人のいる前であんなことをして。早くやめさせなきゃ、みっともないじゃないか」

前に出ようとする義明の腕を幹郎がつかんだ。ぐっと力をいれた。

「五分だけ、待ってやってください。もうすぐですから」

「待てるわけないだろ。人がこんなに見てるんだ。恥ずかしいじゃないか」

「何が恥ずかしいのよ」

傍らの治子が大声をあげた。

「好きなもの同士が抱きあっているのが、何で恥ずかしいのよ。あの二人は真剣に愛しあっていたのよ。真剣だから、恥ずかしさなんて忘れて誰の前でも抱きあうことができるのよ。恥ずかしいなんていう、あんたのほうがよっぽど恥ずかしい人間よ」

「…………」

「いい。志賀さんはね、和子さんが好きで好きでたまらないのに、これまでセックスはおろか、手さえ握ったこともなかったのよ。ずっと清い関係を通しつづけてきたのよ。そんなまね、あんたにはできるの。できないでしょ。何にもわかってないくせに、体裁ばっかり考えてるんじゃないわよ」

治子は目をむいて義明を睨みつけた。義明は視線を落としてうつむいた。

幹郎はちらりと腕時計を見て、

「志賀さん、五分たちましたよ。そろそろいいですね」

和子におおいかぶさるように、両手でしっかり抱きしめている志賀に声をかけた。志賀は何も答えなかった。反応がなかった。

幹郎はつかつかと二人の座るベンチによって、志賀さん、と再び声をかけた。何の返事もなかった。

幹郎は志賀の体を揺さぶった。

「治ちゃん」

と大声をあげた。

「志賀さん、息をしていない。心臓が止まっている。救急車を呼んで」

治子が慌てて店のなかにかけこんだ。

志賀と和子は、申しあわせたように仲よく両目を閉じていた。二人とも安らかな死に顔だった。

自殺という言葉が幹郎の頭に浮んだ。志賀は信念を曲げて和子のあとを追い、自分で自分の命を絶った……。

それにしては様子が変だ。幹郎たちは志賀の一挙一動をじっと見つめていたのだ。薬を飲んだそぶりもなかったし、もちろん、ベンチの下に怪しげな壜など落ちてはいない。落ちているのは和子の服用していたニトロの壜だけだった。

志賀は意志の力で命を絶った。そうとしか考えられなかった。自分の意志の力で。

救急車のサイレンの音が聞こえてきた。

あれから幹郎は警察に呼ばれた。

和子の死因は病院に通っていたこともあり、心筋梗塞で片がついたが、問題は志賀のほうだった。

見た限りでは死の原因がまったくわからなかった。外傷も何か薬物を飲んだ形跡も見当ら

なかった。ひょっとしたら、事件性があるのではと警察に呼ばれたのだが、

「自然死じゃないかって鑑識の連中がいってました。いわゆる、ぽっくり病とか突然死の類ですね。いちおう解剖のほうにまわすことになりますが問題は出てこないと思いますよ」

担当の警察官はこういって簡単な調書だけを取り、幹郎はすぐに解放された。

「ねえ、志賀さんの死因っていったい何だったんですか」

夕方、警察から戻った幹郎に治子が早速訊いてきた。

「解剖してみなければ確かなことはわからないけれど、鑑識の人たちの間では自然死じゃないかって」

「自然死って、どういうことなの。よくわからないけれど」

「私にもよくわからないよ。いわゆる、ぽっくり病とか突然死というようなものらしいけど……ただ」

幹郎は眉間に皺をよせて腕を組んだ。

「ただ？」

「あのときの五分間。志賀さんは和子さんを抱きしめながら自分の死だけを願っていたんじゃないかと思う。ただひたすら、和子さんと一緒に死んでいきたいって」

「それはわかるような気がするわ。あれだけ好きだったんだもの、一人だけとり残されたら──」

「あの五分間。志賀さんの頭のなかにつまっていたのはただそれだけ……志賀さんは全身全

霊をその一点に集中して何かに願ったんじゃないのかな」

「何かって……神とか」

「まあ、その辺のところはよくわからないけれど、その何かは志賀さんの懸命の思いを聞きいれて死を与えた……」

「まるで信じられない話だけど、あの状況を見ていたら、そういわれても納得してしまいそうな気がする」

治子は軽く頭を振り、ぽつんと、

「あの結果でよかったのかしら」

幹郎の脳裏に、万吉でいった志賀の言葉が浮んだ。

『……もし和子さんが死んでも、私には後追い自殺をすることも許されないんです。残酷な話です』

あれは志賀の心からの叫びだと幹郎は思う。本音だと思った。

「よかったのかどうなのかは軽々しくはいえないけれど、少なくとも志賀さんにとっては幸福な結末だったんじゃないのかな」

幹郎は大きな吐息をもらして、組んでいた腕をそっとはずした。志賀が羨しくてたまらなかった。

その夜、九時半を回ったころ。

カウンターのなかで、漠然と今日一日の出来事を思い浮べていた幹郎の前に、缶コーラと餡パンとポテトチップスの袋が置かれた。

あの男の子だ。喧太によく似た男の子だ。

レジを打ち、商品を袋にいれて代金を受け取りながら幹郎は男の子の顔を凝視する。

「坊や」

とかすれた声を出したとたん、

「来て」

と、その男の子はいって幹郎の顔を見た。幹郎の胸がぎゅっと縮んだ。急いで倉庫につづくドアを開け、奥にいるはずの治子に、

「ちょっと出てくるから」

大声をあげ、ちょこちょこと店を抜けていく男の子のあとを追った。

どれほど歩いたのか。気がつくと幹郎は公園のベンチに腰をかけていた。喧太や妻と一緒にカンケリをした児童公園だ。

空を見上げると無数の星がきらめいて、辺り一帯に青白い光を降らせていた。どこか懐しい風景だった。公園全体が海の底のように青く輝いていた。

公園の真中で行われているのはカンケリだ。

十人ほどの子供たちが、空き缶を中心にしてカンケリ遊びに夢中になっている。

「ヨシオ君、見っけ」

「ケンちゃん、見っけ」

そのたびに鬼になった子供は急いで空き缶のところに戻り、靴の裏で缶の頭を踏む。少し油断をすると、どこからか子供が飛び出してきて缶を思いきり蹴り飛ばす。遊びは振出しに戻って、またカンケリの再開だ。

小学生のころ、幹郎はカンケリが大好きだった。子供たちが帰った校庭のすみでひそかに缶を蹴る練習もした。幹郎の蹴る缶は誰よりも高く、誰よりも遠くへ飛んだ。

公園の真中でわぁーっと歓声があがった。

鬼のすきをついて、誰かが木の陰から飛び出し、全力で缶に向かって走っていた。あの喧太によく似た小さな子供だ。気がついた鬼がこれも全力で缶に向かって走った。

二人の子供が交差したように見えた。

その瞬間。喧太によく似た男の子が思いきり缶を蹴り飛ばしたのだ。ふいに幹郎の目頭がじいんと熱くなった。涙があふれた。

缶は輝きをくり返す無数の星に向かって真直ぐ飛んだ。眩《まぶ》しいほどの光を放つ星々だった。小さな缶は無数の星のなかに吸いこまれるようにして弧を描いた。

幹郎の体がぴくりと動いた。仲間にいれてほしかった。子供たちと一緒に思いきり缶が蹴りたかった。幹郎は涙をためながらベンチから腰を浮かしかけた。あそこに行くのだ。

「来てはだめ」

とたんにどこからか声が響いた。女性の声だ。どこかで聞いた覚えのある声だった。

「あなたはまだ、ここにくるわけにはいかないの。人はそのときがくるまでここに来てはいけない。そのときが自然にくるまで生きなければいけないの」

有紀美……死んだ妻の有紀美の声だ。

思わず辺りを見回した。あれだけいた子供たちの姿が消え、空き缶が置いてあったところに、ぼんやりと二人の人間が立っていた。

喧太と有紀美だ。二人は幹郎に向かって笑いかけていた。星明りが二人の姿を青白く浮びあがらせていた。清浄だった。凛としていた。青い色が目に痛いほど眩しかった。

「治ちゃんは、とてもいい子よ」

有紀美の柔らかな声が幹郎の体全部を心地よく包みこんだ。

ふいに星の輝きが淡くなった。色あせていった。やがて訪れるのは闇……。

「待ってくれ」

幹郎は力一杯叫んだ。

気がつくと目の前に治子が立っていた。

「どうしたんですか幹郎さん。急に店から姿を消してしまったと思ったら、こんなところに座りこんで」

こんなところ……慌てて周囲を見回すとミユキマートの前だった。幹郎は志賀と和子が腰を降ろしていた店の前のベンチに一人で座っていた。

「幹郎さん」

治子がくぐもった声をあげた。

「泣いてるんですか」

「どうも、そうらしい」

のどにつまった声で幹郎は答えた。

「なぜ」

と短く訊く治子に、幹郎は児童公園で見た一部始終を話して聞かせた。最後の有紀美の言葉だけをのぞいて。

「喧太君と有紀美さんに逢ったんですか」

「ああ」

「有紀美さん……人はそのときがくるまでここに来てはいけない。そのときが自然にくるまで生きなければいけない……っていったんですか」

「ああ」

幹郎はまた短く答えて、あふれてくる涙を手の甲でぬぐった。

「やはり事故だったんですよ。有紀美さん、自殺なんかじゃなかったんですよ」

「…………」

治子は鼻をちょっとすすり、

「私も一緒に泣いていいですか」

幹郎の顔を真直ぐ見た。

「いいさ」

と幹郎は答え、体をずらして治子の座る席をベンチの上に空けた。

治子は幹郎の隣にそっと腰を降ろし、

「泣こ。思いきり泣こ」

いやに明るい声でいって、大粒の涙をぽろぽろとこぼした。

ちょうど昼間の志賀と和子のように、幹郎と治子は仲よくベンチに座って時のたつのも忘れて無言で泣いた。

「今まで座ったことなんかなかったから気がつかなかったけど、このベンチって座り心地、とてもいいんですね」

手で涙をぬぐいながらいう治子に、

「最高だよ」

「いつまでもここに座りつづけて話をしていた、志賀さんと和子さんの気持がわかるような気がしますね」

「うん」

と、素直に幹郎は答え、

「そうだ。火を焚こう」

両目を輝かせていった。

「火って？」

怪訝な表情を向ける治子に、

「送り火さ。志賀さんと和子さん、そして喧太と有紀美の」

「いい考えですけど、ここで焚くんですか」

「そうさ。この駐車場で焚くんだ。幸い今夜は風もほとんどないし。裏にある段ボールや酒の木箱を燃やせば最高の送り火になることまちがいなしじゃないか」

「いいですけど、多分、消防車が飛んできますよ。油をしぼられますよ」

心配そうな表情の治子に、

「いいじゃないか来たって。隣近所に燃え移る心配はまずないんだから。それに、たまにはこういう莫迦をやらなければ、生きてる実感も、生きるはりも湧いてこない」

幹郎の顔にもう涙は見当らない。

「そうですね。思いきってやりましょう」

念のために、表の水道にとりつけられたホースが傍らに置かれ、駐車場の真中に段ボールと木箱がつまれた。幹郎の手で火がつけられた。火はすぐに夜空をこがして燃えあがり、幹郎と治子の顔を力強く照らした。パチパチと火の粉が飛んだ。

「立派な送り火だ」

と叫ぶ幹郎の炎で赤く染まった横顔に、

「もうすぐ、来ますよ」

治子が悪戯《いたずら》っぽい視線を向けた。

「なあ、治ちゃん」

火の音にかぶせるように幹郎が叫んだ。

「終夜営業にしようか、この店」

「えっ、何ですか」

治子は耳をそばだてる。

「終夜営業にしよう、この店」

とたんに治子の顔がくしゃりと崩れた。

「もっとどんどん燃やそ」

はしゃいだ声を治子はあげた。

どこからかサイレンの音が近づいてくるのがわかった。

火の勢いが一段と強くなった。

解説

北上次郎

池永陽は不思議な作家である。いや、そういうふうに見える作家である。第十一回の小説すばる新人賞を受賞した『走るジイサン』は、頭の上に猿を乗せた爺様が登場するのだから最初から人を喰っていた。ところが第二作の『ひらひら』は、一転して、お人好しのちんぴら常巳の青春を描く長編で、どちらかといえばシンプルな長編だったから、戸惑ってしまう。つまり、第一作の『走るジイサン』が極めつけの変化球だったとするなら、第二作の『ひらひら』はその読後感からいえばスローカーブといっていいのだ。どちらが本線なのか、これだけではいささか分かりにくい作家といえるだろう。分類されることを拒否しているのか、これ方向を模索しているのか、この段階ではまだ見えなかった。

本書は、これらに続く第三作である。最初が変化球、次がスローカーブ、さあ次はどんな球が来るかと身構えていると、なんと三球目はど真ん中に投げ込む豪速球であった。これが心地よい。

舞台はコンビニ「ミユキマート」だ。このコンビニが少し変わっているのは、オーナーの幹郎《みきお》にやる気がないこと。だから万引きされても犯人を捕まえず、ホームレスにやさしく、従業員の治子に、終夜営業やりましょうよ、ファーストフードを置きましょうよ、と言われてもいつも生返事。これではいつつぶれても不思議ではない。

幹郎にやる気がないのには理由がある。息子が轢《ひ》き逃げされ、失意の妻を力づけるつもりで退職して始めたコンビニだが、その妻も車にはねられて、もう彼には希望というものがないからである。現世のことなど、幹郎にはどうでもいいのだ。

この基本設定で本書は幕を開ける。全七話が収録されており、最初と最後だけ幹郎が語り手をつとめるが、あとの五話はそれぞれ別の人物が語り手となって進んでいく。これがたっぷりと読ませるから、目が離せない。第二話「向こう側」では、やくざに惚れられた治子の話が語られ、第三話「パントマイム」では、シナリオライター志望の青年と離婚したばかりの照代の人生が語られる。従業員の話だけでなく、「ミユキマート」前のアパートに住んでいる役者の卵・香、いつも「ミユキマート」で万引きする女子高生加奈子なども、次々に語り手となって登場してくる。

第四話「パンの記憶」に出てくる「本当の親というのは……子供に対して口あたりのよいおいしい食べ物よりも、まずくても栄養のあるものを食べさせようとするもんです。私はそう考えます」という台詞もいいし、第七話「ベンチに降りた奇跡」で語られる老人の恋も忘れがたい。どの章もたっぷりと読ませることは書いておかなければならない。絶妙な人物造形と、秀逸な台詞と、巧みな結構で、さまざまな人生を真正面から活写していくのである。シンプルであり、ストレートだが、そのぶんだけ力強さが漲《みなぎ》っている。ど真ん中の豪速球、というのはそういう意味にほかならない。「重松清と浅田次郎を足したような小説だ。この二人の作家の傑作のエキスをシェイクしたらこんな小説になる」とは、新刊時に書いた『コンビニ・ララバイ』評だが、これ以上付け加えることは何もない。あとは黙って読まれたい。というところでこの解説を終えてもいいのだが、まだスペースがかなり余っているので、あとは余分なことを書く。

『ひらひら』の冒頭に、常巳が千円札にアイロンをかけるシーンがあったことを思い出すのである。ぴんぴんの一万円札をさっと出して、「ツリはいらねえ」とやりたいのにその金がないので、せめてよれよれの千円札にアイロンをかけてぴん札に早変わりさせようというのだ。哀感漂うシーンだが、池永陽の小説にはこういう鮮やかなシーンが少なくない。その中から一つ抽出すれば、『アンクルトムズ・ケビンの幽霊』で、主人公の西原が妻邦子の電話を盗み聞きする場面がダントツだろう。『コンビニ・ララバイ』の解説だというのに、他の小説の話を書くのも何なのだが、この作者の特徴がよく出ている描写だと思われるので、少しだけ遠回りする。

『アンクルトムズ・ケビンの幽霊』の主人公西原は鋳物工場で働く職人である。邦子と知り合ったのは彼女が美術短大の二年生のとき、ある色を探して西原の工場にやってきたのがきっかけ。その数年後、邦子が広告代理店に勤務しているときに二人は結婚するが、いまでは邦子も代理店を辞め、仲間たちと事務所をつくり、グラフィックデザインの仕事をしている。五年前に、夫の収入よりも妻の収入のほうが多くなり、それ以来、この二人の間には微妙な溝が出来ている、というのがこの小説のポイントである。で、妻の電話を盗み聞きするシーンになるが、電話の相手はクライアントだ。その男は仕事と引き換えに邦子の体を要求してくる。そのときの西原の心中を引く。

「承諾しろ。こんな声が突然響き渡ったのだ。承諾させて邦子の長年の夢を叶えさせてやりたいという思いもあった……がそれよりも何よりも、邦子が承諾すれば私が長い間縛られてきたしっかりもので美人の奥さんの呪縛から完全に解き放たれるような気がしきりにした。邦子への劣等感、邦子への畏怖、邦子への遠慮。そんなものからすべて解放されるような気がした」「承諾しろ。自分でも信じられないことだが猛烈な嫉妬心が体全体をつつむと同じぐらいにその言葉は私の胸の中で大きく響いていた」

　実にスリリングな場面で、我々は西原と一緒になって邦子の返事を待つことになる。そのとき邦子がどう返事したかは書かないが、こういう不器用な人物を描くと池永陽の筆が冴えまくる、というポイントをここでは押さえておきたい。電話を盗み聞きしなければ妻の真意がわからない男を不器用ということは、ここに書くまでもない。嫉妬をモチーフにした『水の恋』で、主人公の昭が妻映里子の下着に顔を埋めるシーンをここに並べてもいい。昭が映里子を抱けない理由については長くなるので割愛するが、その代償行為として下着に顔を埋めるのは、この昭もまた不器用な人間であるからにほかならない。

　最新刊の『殴られ屋の女神』をここに並べれば、一つのことが見えてきそうだ。この主人公須崎は、一発千円の殴られ屋を開業しているのだが、至福の家族を求める感情がその底にあることに留意すれば、この須崎もまた不器用な人間であることがわかる。『ひらひら』のちんぴらやくざ常巳から、この須崎まで、池永陽が書き続けているのは、そういう不器用な人間たちのドラマであるともいえるのである。池永陽が不思議な作家に見えてしまうのは、物語のジャンルと結構をさまざまな方向で模索しているからなのだが、しかしその底を貫くモチーフはこのように一貫しているともいえそうだ。

話を再度、『コンビニ・ララバイ』に戻せば、ここに登場する人間たちも、みな不器用な人物ばかりといっていい。治子に惚れながらも死地に赴く八坂、幼いときの記憶に縛られている香、そして主人公の幹郎まで、もっと楽に生きる方法があるはずなのに、彼らはその道を選ばずに、ごつごつとして生きている。そのピークがおそらくは第五話「あわせ鏡」だろう。ここではホステス克子の人生が語られるが、十年以上も内縁関係にある遊び人栄三と別れられない克子の性と愛を、希望と絶望を、そして夢と哀しみを、巧みにスケッチして読み応えのある一篇となっている。池永陽の筆力がうかがえる一篇でもあり、この方向で長編を書けば、正統派の恋愛小説が成立するが、それをしないのはこの作家自身が不器用な生き方を選んでいるような気がしないでもない。

それはともかく、池永陽が見事なのは、安易な解決を用意しないことだ。それは強調しておかなければならない。克子が本当に故郷に帰ることが出来るのかどうか、それは読者の想像に委ねられるのである。香がもう一度舞台に立つことが出来るのかどうかも、加奈子が自分の道を進むことが出来るのかどうかも、読者に委ねられる。そうして、幸せになりたいと願う不器用な人間たちの、そのささやかな希望と苦闘と哀しみを、巧みな挿話を積み重ねて、作者は鮮やかに描いていく。

本書は、「本の雑誌が選ぶ二〇〇二年上半期ベスト1」に選ばれた作品であることを最後に付記しておく。

引用出典　『汚れつちまつた悲しみに……中原中也詩集』（集英社文庫）

この作品は二〇〇二年六月、集英社より刊行されました。

集英社文庫

池永陽

走るジイサン

単調な毎日を送っていた作次。だが、同居する息子の嫁に淡い恋心を覚えた頃から、頭上に猿があらわれて——。老いの哀しみと可笑しさを描く、第11回小説すばる新人賞受賞作品。

集英社文庫

池永陽

ひらひら

常巳22歳、ちんぴらヤクザ。腕っぷしが弱く、さえない毎日を送っている。伝説のヤクザ・腕斬り万治さんと出会い、本物の男になろうと決意するが——。切なくやさしい青春小説。

集英社単行本

池永陽

ゆらゆら橋から

先生に憧れた小学生の頃。淡い初恋の中学時代。恋を重ね、少年は大人になっていく。就職、結婚、浮気、子どもが生まれる……。いくつになっても彼は恋心にゆらぐ。注目のストーリーテラーが詩情豊かに紡ぐ連作短編集。

集英社文庫 目録（日本文学）

荒俣宏 ブックライフ自由自在
荒俣宏 白樺記
荒俣宏 風水先生レイラインを行く
荒俣宏 バッドテイスト
荒俣宏 エロトポリス
荒俣宏 神の物々交換
荒俣宏 図像学入門
荒俣宏 エキセントリック
荒俣宏 レックス・ムンディ
有吉佐和子 連舞
有吉佐和子 仮縫
泡坂妻夫 旋風
泡坂妻夫 恋路吟行
安西篤子 男を成功させた悪女たち
安西篤子 悲愁中宮
安西篤子 家康の母

安西篤子 義経の母
安藤優子 あの娘《こ》は英語がしゃべれない！
家田荘子 ラブ・ジャンキー
家田荘子 その愛でいいの？
家田荘子 セックスレスな男たち
家田荘子 愛していればいいの？
家田荘子 愛は変わるの？
家田荘子 信じることからはじまる愛
生島治郎 片翼だけの天使
生島治郎 片翼だけの恋人
生島治郎 片翼だけの結婚
生島治郎 片翼だけの女房どの
生島治郎 ぎゃんぶるハンター
生島治郎 乱の王女
生島治郎 七つの愛・七つの恐怖
生島治郎 ホームシック・ベイビー

池上彰 これが「週刊こどもニュース」だ
池澤夏樹 写真・芝田満之 カイマナヒラの家
池澤夏樹 憲法なんて知らないよ
池田理代子 ベルサイユのばら全五巻
池田理代子 オルフェウスの窓全九巻
池永陽 走るジイサン
池永陽 ひらひら
池永陽 コンビニ・ララバイ
池波正太郎 スパイ武士道
池波正太郎 幕末遊撃隊
池波正太郎 青空の街
池波正太郎・選 捕物小説名作選
池波正太郎 天城峠
池波正太郎 英雄にっぽん 小説 山中鹿之介
石和鷹 レストラン喝采亭
石和鷹 いきもの抄

集英社文庫

コンピニ・ララバイ

2005年6月25日　第1刷

定価はカバーに表示してあります。

著　者　池《いけ》　永《なが》　陽《よう》

発行者　谷　山　尚　義

発行所　株式会社　集　英　社

東京都千代田区一ツ橋2—5—10

〒101-8050

電話　03（3230）6095（編集）
（3230）6393（販売）
（3230）6080（制作）

印　刷　凸版印刷株式会社

製　本　凸版印刷株式会社

ISBN4-08-747829-7 C0193